CW00381610

ET TU N'ES PAS REVENU

Marceline Loridan-Ivens, née en 1928, déportée à Auschwitz-Birkenau avec son père, a été actrice, scénariste, réalisatrice. On lui doit de nombreux documentaires avec Joris Ivens, dont *Le 17ᵉ Parallèle* (1968), mais aussi *La Petite Prairie aux bouleaux*, avec Anouk Aimée (2003), et *Ma vie balagan* (Robert Laffont, 2008).

Journaliste, aujourd'hui collaboratrice du magazine du *Monde* et de *XXI*, Judith Perrignon est l'auteur de plusieurs ouvrages, parmi lesquels *C'était mon frère* (L'Iconoclaste, 2006), *L'Intranquille*, avec Gérard Garouste (L'Iconoclaste, 2009), *Les Chagrins* (Stock, 2010), *Les Faibles et les Forts* (Stock, 2013) et *Victor Hugo vient de mourir* (L'Iconoclaste, 2015).

DOSSIER

Annette Wieviorka est historienne, directrice de recherche émérite au CNRS, spécialiste de l'histoire et de la mémoire de la Shoah et du communisme. Elle est l'auteur de nombreuses publications, notamment *L'Ère du témoin* (Plon, 1998 ; Pluriel, 2013), *Auschwitz, la mémoire d'un lieu* (Plon, 2006 ; Hachette Littératures, 2012), *Auschwitz expliqué à ma fille* (Seuil, 1999) et *1945, la découverte* (Seuil, 2015 ; Points, 2016).

MARCELINE LORIDAN-IVENS
avec Judith Perrignon

Et tu n'es pas revenu

suivi d'un dossier inédit
d'Annette Wieviorka

GRASSET

J'ai été quelqu'un de gai, tu sais, malgré ce qui nous est arrivé. Gaie à notre façon, pour se venger d'être triste et rire quand même. Les gens aimaient ça de moi. Mais je change. Ce n'est pas de l'amertume, je ne suis pas amère. C'est comme si je n'étais déjà plus là. J'écoute la radio, les informations, je sais ce qui se passe et j'en ai peur souvent. Je n'y ai plus ma place. C'est peut-être l'acceptation de la disparition ou un problème de désir. Je ralentis.

Alors je pense à toi. Je revois ce mot que tu m'as fait passer là-bas, un bout de papier pas net, déchiré sur un côté, plutôt rectangulaire. Je vois ton écriture penchée du côté droit, et quatre ou cinq phrases que je ne me rappelle pas. Je suis sûre d'une ligne, la première, « Ma chère petite fille », de la dernière aussi, ta signature, « Shloïme ». Entre les deux, je ne sais plus. Je cherche et je ne me rappelle pas. Je cherche mais c'est comme un trou et je ne veux pas

tomber. Alors je me replie sur d'autres questions : d'où te venaient ce papier et ce crayon ?
Qu'avais-tu promis à l'homme qui avait porté
ton message ? Ça peut paraître sans importance
aujourd'hui, mais cette feuille pliée en quatre,
ton écriture, les pas de l'homme de toi à moi,
prouvaient alors que nous existions encore.
Pourquoi est-ce que je ne m'en souviens pas ?
Il m'en reste Shloïme et sa chère petite fille. Ils
ont été déportés ensemble. Toi à Auschwitz,
moi à Birkenau.

L'Histoire, désormais, les relie d'un simple
tiret. Auschwitz-Birkenau. Certains disent
simplement Auschwitz, plus grand camp
d'extermination du Troisième Reich. Le
temps efface ce qui nous séparait, il déforme
tout. Auschwitz était adossé à une petite ville,
Birkenau était dans la campagne. Il fallait sortir par la grande porte avec son commando
de travail, pour apercevoir l'autre camp.
Les hommes d'Auschwitz regardaient vers
nous en se disant c'est là qu'ont disparu nos
femmes, nos sœurs, nos filles, là que nous
finirons dans les chambres à gaz. Et moi je
regardais vers toi en me demandant, est-ce le
camp ou est-ce la ville ? Est-il parti au gaz ?
Est-il encore vivant ? Il y avait entre nous des
champs, des blocs, des miradors, des barbelés, des crématoires, et par-dessus tout, l'in-
soutenable incertitude de ce que devenait

l'autre. C'était comme des milliers de kilomètres. À peine trois, disent les livres.

Ils n'étaient pas nombreux les détenus qui pouvaient circuler de l'un à l'autre. Lui c'était l'électricien, il changeait les rares ampoules de nos blocs obscurs. Il est apparu un soir. Peut-être était-ce un dimanche après-midi. En tout cas, j'étais là quand il est passé, j'ai entendu mon nom, Rozenberg ! Il est entré, il a demandé Marceline. C'est moi, je lui ai répondu. Il m'a tendu le papier, en disant, « C'est un mot de ton père ».

Nous n'avions que quelques secondes, nous pouvions être tués pour ce simple échange. Et je n'avais rien pour te répondre, ni papier, ni crayon, les objets avaient déserté nos vies, ils formaient des montagnes dans des hangars où nous travaillions, les objets appartenaient aux morts, nous étions les esclaves, nous n'avions qu'une cuillère coincée dans une couture, une poche ou une bretelle et un lien autour de la taille, un bout de tissu arraché à nos habits ou une fine corde trouvée par terre, pour y accrocher notre gamelle. Alors j'ai sorti la pièce d'or que j'avais volée au triage des vêtements. Je l'avais trouvée dans un ourlet, dissimulée comme un trésor du pauvre, et je l'avais enveloppée dans un petit bout de tissu, je ne savais pas quoi en faire, où la cacher, ni comment l'échanger au marché noir du camp. Je l'ai tendue à l'électricien, je voulais qu'il te la donne, je me doutais qu'il la volerait, tout le monde volait au camp, dans le bloc on entendait toujours des cris, «on m'a volé mon pain!», alors j'ai bafouillé dans un mélange de yiddish et d'allemand appris au camp, que s'il comptait la garder, qu'il t'en donne la moitié. L'as-tu reçue? Je ne saurai jamais. Je l'ai lu tout de suite ton mot, j'en suis sûre. Je ne l'ai montré à personne mais j'ai dit autour de moi, Mon père m'a écrit.

D'autres mots de toi me hantaient alors. Ils recouvraient tout. Tu les avais prononcés à Drancy, nous ne savions pas encore où nous allions. Comme tous les autres, nous répétions, Nous allons à Pitchipoï, ce mot yiddish qui désigne une destination inconnue et sonne doux aux oreilles des enfants qui le répétaient pour parler des trains qui s'en allaient, Ils vont à Pitchipoï, disaient-ils, articulant pour se rassurer ce que les adultes leur avaient soufflé. Mais je n'étais plus une enfant. J'étais grande, comme on dit. Dans ma chambre au château, j'avais changé le décor, interrompu mes rêves, congédié mes jouets, dessiné des croix de Lorraine sur le mur et accroché au-dessus de mon bureau bleu ciel les portraits des généraux de la première guerre, Hoche, Foch, Joffre abandonnés dans le grenier par le précédent propriétaire. Tu te rappelles que la directrice de l'école d'Orange t'avait convoqué? Elle avait trouvé mon journal intime noirci de rumeurs et de reproches contre la surveillante générale et certains professeurs, mais surtout véritable brûlot gaulliste. «Votre fille va passer en conseil de discipline, il vaut mieux que vous la retiriez de l'école», avait-elle dit pour nous protéger. Elle t'avait laissé mon journal. Tu l'avais lu probablement et tu y avais découvert que j'étais amoureuse d'un garçon, je le retrouvais dans le bus qui nous ramenait à Bollène après l'école, je lui donnais chaque semaine mes tickets de pain, en échange il faisait mes devoirs de maths. Il n'était pas juif. Tu ne m'avais plus parlé pendant deux mois ensuite. Nous avions atteint le moment de nous disputer, comme un père et sa fille de quinze ans.

Alors à Drancy, tu savais bien, que rien ne m'échappait de vos airs graves à vous les hommes, rassemblés dans la cour, unis par un murmure, un même pressentiment que les trains s'en allaient vers le grand Est et ces contrées que vous aviez fuies. Je te disais, «Nous travaillerons là-bas et nous nous retrouverons le dimanche». Tu m'avais répondu : «Toi tu reviendras peut-être parce que tu es jeune, moi je ne reviendrai pas.» Cette prophétie s'est inscrite en moi aussi violemment et aussi définitivement que le matricule 78750 sur mon avant-bras gauche, quelques semaines plus tard.

Elle devint malgré moi une redoutable compagne. Je m'y accrochais parfois, j'aimais les premiers mots quand, une par une, disparaissaient mes amies, et celles qui ne l'étaient pas. Puis je la repoussais, je détestais ce « moi je ne reviendrai pas » qui te condamnait, nous séparait, semblait offrir ta vie en échange de la mienne. J'étais vivante encore et toi ?

Il y eut ce jour où nous nous sommes croisés. Mon commando était allé casser du caillou, tirer des wagonnets et creuser des tranchées sur la nouvelle route pour le crématoire numéro 5, nous avancions, comme toujours en rangs de cinq, nous revenions vers le camp, c'était un peu après six heures du soir. Sais-tu que ce moment n'appartient pas qu'à nous ? Qu'il figure dans les souvenirs et les livres de ceux qui en ont été les survivants ? Car tous les rêves de retrouvailles ont jailli dans le camp de la mort industrielle, tous les corps des nôtres encore debout ont frémi lorsque nous nous sommes vus, sommes sortis de nos rangs et avons couru l'un vers l'autre. Je suis tombée dans tes bras, tombée de tout mon être, ta prophétie était fausse, tu vivais. Ils auraient pu te juger inutile dès l'arrivée, tu avais un peu plus de quarante ans, une mauvaise hernie à l'aine qui t'obligeait

à porter une ceinture, une longue cicatrice
au pouce héritée d'une blessure à l'usine,
mais tu étais encore assez fort pour être leur
esclave, comme moi. Ton rôle était de vivre,
pas de mourir, j'étais tellement heureuse de
te voir ! Nous retrouvions nos sens, le toucher, le corps aimé, cet instant nous coûterait
cher, mais il interrompait pour quelques pré-
cieuses secondes le scénario implacable écrit
pour nous tous. Un SS m'a frappée, traitée
de putain, car les femmes ne devaient pas
communiquer avec les hommes. « C'est ma
fille ! » tu criais, tout en me soutenant encore.
Shloïme et sa chère petite fille. Nous étions
vivants tous les deux. Ton raisonnement
ne tenait plus, l'âge n'y faisait rien, aucune
logique n'existait dans le camp, seule comptait leur obsession du nombre, on mourait
tout de suite ou un peu plus tard, on n'en sortirait pas. J'ai juste eu le temps de te donner le
nom de mon bloc, « Je suis au 27B ».

Je me suis évanouie sous les coups et,
lorsque j'ai repris conscience, tu n'étais plus
là, mais j'avais dans la main une tomate et un
oignon que tu venais de me glisser en douce,
ton déjeuner sûrement, je les ai cachés aussitôt. Comment était-ce possible ? Une tomate
et un oignon. Ces deux légumes cachés
contre moi rétablissaient tout, j'étais de nouveau l'enfant et toi le père, le protecteur, le

nourricier, l'ombre de ce chef d'entreprise qui fabriquait des tricots dans son usine de Nancy, l'ombre de cet homme un peu fou qui acheta pour nous tous un petit château dans le Sud, à Bollène, et m'y conduisit un jour l'air mystérieux, dans une carriole à cheval, si heureux de sa surprise, que tu me demandas, «Qu'est-ce que tu souhaites le plus au monde, Marceline?»

Le lendemain, nos commandos se sont encore croisés. Mais nous n'avons pas osé bouger. Je t'ai vu au loin. Tu étais donc là, si près de moi, maigre et flottant dans un costume rayé, mais encore magicien, homme à me faire écarquiller les yeux. Où t'étais-tu procuré l'oignon et la tomate qui avaient enchanté mon estomac et celui d'une amie? Nous n'avions qu'une eau chaude et brune au lever dont je gardais une partie pour me laver un peu, une soupe le midi, une ration de pain le soir, avec une fois par semaine, soit la rondelle grise de faux saucisson, la cuillerée à café de confiture de betterave ou le morceau de margarine qui couvrait deux tartines. Où t'étais-tu procuré le papier pour m'écrire? Nous n'avions rien pour nous essuyer aux latrines. Je déchirais petit bout par petit bout le caleçon d'homme taché qu'on m'avait jeté à la figure en arrivant, ravie de le raccourcir pour m'essuyer les fesses, il me faisait honte.

Je ne sais pas combien de temps sépare ces deux moments, ces deux signes, les derniers. Plusieurs mois, je crois. Peut-être moins. Tu avais retenu le numéro de mon bloc, le premier de la rangée la plus proche du crématoire, tu m'avais fait porter le message. Tu n'as pas signé Papa. Mais de ton prénom, et en yiddish, Shloïme qui était devenu Salomon en France. Tu étais de retour sur ta terre natale qui n'avait pas attendu les nazis pour pourchasser les juifs, tu avais sûrement besoin d'affirmer ton identité, ta judaïté, dans cet univers où nous n'étions plus que des «Stücke», des morceaux. Tu avais peut-être même retrouvé des parents, des cousins de Pologne dans le camp, eux t'appelaient comme ça, Shloïme. Aujourd'hui encore, quand j'entends dire Papa, je sursaute, même soixante-quinze ans après, même prononcé par quelqu'un que je ne connais pas. Ce mot est sorti de ma vie si tôt, qu'il me fait mal, je ne peux le dire que dans mon for intérieur, surtout pas l'articuler. Surtout pas l'écrire.

Tu as dû me supplier de vivre, de tenir dans ton message. Ce sont des mots communs, ceux que dicte l'instinct, les seuls qui restent aux hommes sensés qui n'entrevoient pas demain. Tu as dû conjuguer ces verbes à l'impératif. Mais je n'ai probablement pas cru à ce que tu m'écrivais. Pas autant qu'à une tomate ou à un oignon. Les mots nous avaient quittés. Nous avions faim. Le massacre était en cours. J'avais même oublié le visage de Maman. Alors peut-être que ton mot, c'était trop de chaleur tout d'un coup, trop d'amour, je l'ai englouti aussitôt lu, comme une machine qui a faim et soif. Et puis je l'ai effacé. Y penser trop, c'était laisser venir le manque, il rend vulnérable, il réveille les souvenirs, il affaiblit et il tue. Dans la vie, la vraie, on oublie aussi, on laisse glisser, on trie, on se fie aux sentiments. Là-bas, c'est le contraire, on perd d'abord les repères d'amour et de sensibilité. On gèle de l'intérieur pour ne pas mourir. Là-bas, tu sais bien, comme l'esprit se contracte, comme le futur dure cinq minutes, comme on perd conscience de soi-même.

Je ne t'appelais jamais au secours. Et quand je pensais à toi, je te voyais escorté par mon tout petit frère de quatre ans, je ne me rappelais plus son prénom, Michel. Il ne te quittait pas d'une semelle avant notre arrestation, où que tu ailles, il était dans tes bras, ou à tes pieds, sa main dans la tienne, comme s'il avait peur de te perdre. C'est peut-être un peu de moi que je cachais dans sa silhouette de tout-petit. C'était une autre façon d'appeler. J'étais ta chère petite fille. On l'est encore à quinze ans. On l'est à tous les âges. J'ai eu si peu de temps pour faire provision de toi.

Je les voyais les enfants, depuis mon bloc, qui allaient sur le chemin des chambres à gaz. Je me souviens d'une petite fille, accrochée à sa poupée. Elle avait le regard perdu. Derrière elle, probablement des mois de terreur et de traque. On venait de la séparer de ses parents, on allait bientôt lui arracher ses vêtements. Elle ressemblait déjà à sa poupée inerte. Je la regardais. Je savais ce qu'il y a de chahut et d'angoisse dans la tête d'une petite fille, de déterminé au creux de sa main serrant sa poupée, ce n'était pas si loin, j'allais, moi, quelques années plus tôt avec une valise, un baigneur à l'intérieur, une boîte à mouches aussi.

Tu as dû me dire dans cette lettre que tu étais encore là, pas très loin. Et promettre que la fin de la guerre approchait, notre libération aussi. Quand était-ce, cette lettre ? L'été 44 ? Un peu plus tard ? Nous savions les débarquements et les batailles. Les nouvelles entraient dans le camp avec les derniers convois. Chaque fois, l'une d'entre nous tentait de se glisser dans le Lager A, parmi les nouvelles arrivées encore en quarantaine, en sursis, entre gaz et travail forcé. Nous y cherchions des visages familiers. Nous en revenions toujours avec des informations. C'est ainsi que nous avons appris que Paris avait été libéré, que les divisions du général Leclerc avaient défilé sur les Champs-Élysées et nous avions chanté doucement a capella *La Marseillaise* le lendemain en passant devant l'orchestre qui jouait matin et soir marches militaires et autres morceaux classiques pour le départ et le retour des commandos de travail. Mais ce n'était qu'un épisode, des nouvelles d'un monde dont nous n'étions déjà plus. Le gaz nous menaçait encore. Nous étions tout au bord. Nous ne vivions plus que le présent, les prochaines minutes. Plus rien ne pouvait nourrir l'espoir. Il était mort.

Les Hongrois étaient arrivés. Des centaines de milliers, huit à dix transports par jour, tu te souviens de ce flot de gens comme si des villes entières se déversaient dans le camp. Tout augmentait, le nombre et la cadence. Ils les ont déshabillés, les ont envoyés aux chambres à gaz, les enfants, les bébés et les vieillards en premier, comme d'habitude. Ceux dont la mort attendrait quelques jours étaient parqués dans une partie qui venait d'être construite, l'amorce d'un nouveau camp, tout près des crématoires, le Mexique nous l'appelions. Nous passions devant chaque jour en allant travailler. Nous allions au Canada, c'est comme ça que les Polonaises avaient baptisé le triage des vêtements, parce que c'était le moins dur des postes de travail, celui qu'on espérait toutes, celui où l'on pouvait tomber sur un vieux croûton de pain au fond d'une poche, ou sur une pièce d'or dans un ourlet. Des Françaises auraient dit le Pérou. Etrange cartographie du monde miniaturisé dans le camp en langue polonaise. Le Mexique, sans que je sache pourquoi, signifiait la mort prochaine.

Quand nous passions, certaines s'approchaient derrière les barbelés électrifiés, nous murmuraient des questions, elles n'avaient déjà plus leurs enfants, mais elles voulaient espérer encore. Nous leur demandions : Vous avez un numéro ? Non, disaient-elles. Alors, nous levions les bras au ciel en signe de désespoir. Notre matricule était notre chance, notre victoire et notre honte. J'avais participé à la construction de la deuxième rampe du crématoire où venaient d'être poussés leurs enfants. J'allais maintenant trier leurs vêtements.

La mort recrachait tant d'habits, que j'avais été affectée en surnuméraire au Canada. Nous brassions les jupes, les dessous, les pantalons, les chemises, les chaussures de ceux qui étaient partis en fumée et dont l'odeur de chair brûlée planait sur le camp, pénétrait nos narines, nos os, nos pensées de jour comme de nuit, en nous promettant le même sort. Nous avions souvent entre les mains des habits misérables, des chaussures usées dans des valises de carton bouilli. Et ils disaient que les juifs étaient riches ! Les plus abîmés de ces vêtements finiraient sur nous, les plus beaux partiraient en Allemagne. Nous allions dans les haillons de nos morts, avec cette croix rouge dans le dos, que tu avais toi aussi. Je portais le gilet d'une morte, la jupe d'une autre morte, les souliers d'une autre encore. Mais il faut être dans la vraie vie pour que les objets et les vêtements vous rappellent quelqu'un. Là-bas, il y en avait trop, ils n'évoquaient plus personne, les nazis avaient changé ces vêtements en montagnes sur lesquelles ils circulaient à vélo, une cravache à la main et un chien qui aboyait devant eux.

Et je rêvais d'une robe rayée, comme les Aryennes, cette robe avait le mérite d'être d'un seul morceau, de couvrir le corps, de n'avoir appartenu à personne en dehors du camp, j'avais fini par lui trouver quelque chose, peut-être ce sentiment d'adaptation que procurent les uniformes, ils vous disent où vous êtes et ce que vous êtes, et qu'un jour peut-être vous pourrez les retirer.

Et je volais. Un pull une fois. Une cuillère pour une amie. Puis la pièce, trouvée dans un ourlet, sans savoir qu'elle serait pour toi. Je me rappelle le manque de poches, je n'avais pas su où la mettre. Je risquais gros si on me trouvait avec. A qui faire confiance ? La plupart des sous-chefs déportées étaient aryennes. Elles m'auraient dénoncée ou dépouillée. L'antisémitisme était terrifiant dans le camp, les Aryennes nous insultaient sans cesse, les Polonaises, les Ukrainiennes et les criminelles allemandes surtout. Et je savais que je ne pourrais pas la garder longtemps, chaque mois nous rendions tout à l'étuve pour éviter les poux et le typhus. On nous redonnait d'autres vêtements de morts, jamais à ma taille, toujours trop grands, trop longs pour moi, depuis les tout premiers, ceux de l'arrivée, que je n'oublierai jamais, une jupe qui arrivait jusque par terre, un petit gilet, un caleçon d'homme taché qui puait le désinfectant, une chaussure plate trop grande, une autre à talon et trop grande aussi. Je chausse encore du 33, je n'ai pas beaucoup grandi depuis la dernière fois que tu m'as vue.

Ta lettre est arrivée, je crois, alors que j'étais affectée aux pommes de terre. Nous avions quitté le Canada, certaines avaient été prises pour vol et envoyées au gaz, les autres ont été punies et affectées aux pommes de terre. Nous allions en file indienne, nous déchargions des wagons jusqu'à un entrepôt, à l'aide de trags, des caisses de bois sommaires, avec des poignées à l'avant et à l'arrière. Il y avait des nazis partout, pour qu'on n'en vole pas une seule. Et il y eut ce jour. La

petite fille. Elle tenait l'avant du trag chargé
de pommes de terre, moi l'arrière, elle était à
bout de forces, elle tremblait, n'avançait plus,
le SS allemand derrière moi me frappait dans
la nuque pour que j'aille plus vite, je ne voulais pas, la petite devant moi n'arrivait plus à
mettre un pied devant l'autre, j'ai dit que je
pouvais prendre sa place, lui laisser l'arrière
du trag, il m'a frappée plus fort, traitée de
sale juive, frappée encore, alors j'ai avancé, la
brouette a heurté le dos de la petite, chaque
coup dans ma nuque m'obligeait à lui faire
mal, elle est tombée, ne s'est pas relevée et le
nazi l'a achevée d'un coup de crosse. Je dis
la petite alors qu'elle n'était ni plus jeune,
ni plus petite que moi, mais si fragile, plus
maigre que moi, une enfant dans mon souvenir, je crois qu'elle était grecque et je l'ai tuée.

Nous avons été déplacées aux tranchées
ensuite. Nous creusions à coups de pioche.
Longtemps j'ai raconté que c'était près des
cuisines, pendant cinquante ans je me suis
enfermée dans ce mensonge aux autres et surtout à moi-même. C'est mon amie Frida qui
m'a remis les souvenirs en place. «C'était près
des cuisines», je lui disais. «Mais non tu exa-
gères, c'était tout près des chambres à gaz.»
Elle avait raison. Les crématoires tournaient
à plein, ils débordaient tant que c'étaient des
flammes et non de la fumée qui s'échappaient

des cheminées, des flammes trop visibles qui
fournissaient des signaux aux avions alliés
qui commençaient leurs bombardements sur
les usines d'armement toutes proches. Alors,
ils ont changé leur méthode. Les corps gazés
finissaient dans les tranchées que je creusais,
arrosés d'essence, et réduits en cendres par
un serpent de flammes, des flammes à ras de
terre, invisibles pour l'ennemi.

Après les Hongrois, le ghetto de Lodz était
arrivé. Je les ai vus emprunter la rampe vers
les chambres à gaz. J'ai pensé qu'il y avait probablement parmi eux, mes oncles, mes tantes,
mes cousins, mes grands-parents que je ne
connaissais pas. Tu étais de Lodz. Et je conti-
nuais. Je frappais le sol sans regarder autour
de moi, sans souvenirs, sans avenir, j'étais
épuisée de ne plus boire, de ne pas manger,
je creusais des tranchées où brûleraient les
corps de cinquante lointains parents de Lodz,
j'étais dans le présent, dans le prochain coup
de pioche ou le prochain tri de Mengele, ce
démon du camp, qui nous faisait déshabiller
et décidait du moment où nous irions au gaz.

Ni moi ni les autres n'avons réagi quand
les Sonderkommandos se sont révoltés. Les
juives de l'usine d'armement leur avaient
donné de la poudre, mais le mouvement de
résistance interne, non juif, avait refusé de
leur donner des armes, ils firent sauter le

crématorium, exploser leur honte, chaque jour, ils ramassaient les corps gazés et les jetaient au feu. Ils s'enfuirent vers la forêt en coupant les barbelés, ils nous appelaient, nous imploraient de les suivre, nous les regardions sans force, incapables de leur emboîter le pas. Les bonnes nouvelles ne semblaient plus nous concerner, il était trop tard. Ils furent repris et liquidés.

Ta lettre aussi arrivait trop tard. Elle me parlait probablement d'espoir et d'amour mais il n'y avait plus d'humanité en moi, j'avais tué la petite fille, je creusais tout près des chambres à gaz, chacun de mes gestes contredisait et enterrait tes mots. J'étais au service de la mort. J'avais été son trag. Puis sa pioche. Tes mots ont glissé, s'en sont allés, même si j'ai dû les lire plusieurs fois. Ils me parlaient d'un monde qui n'était plus le mien. J'avais perdu tout repère. Il fallait que la mémoire se brise, sans cela je n'aurais pas pu vivre.

Maman n'est pas venue me chercher à Paris. Personne ne m'attendait. J'avais donné le numéro du château, le 58 à Bollène, je m'en souviens encore, et elle avait fini par répondre après plusieurs appels sans suite. Ils lui ont dit que j'étais revenue et ils me l'ont passée. J'ai tout de suite demandé si tu étais là. Elle n'a pas répondu, elle a juste articulé, «Rentre». J'ai compris à l'hésitation de sa voix que tu n'étais pas revenu alors je lui ai dit que je ne voulais pas rentrer. Je ne me souviens pas de sa réaction. Ça n'avait pas d'importance. C'est toi que je voulais revoir. Et je serais bien restée là, au Lutetia, dans cet ancien hôtel luxueux du boulevard Raspail dont les Allemands avaient fait le quartier général de l'Abwehr, et que la Libération avait changé en centre d'accueil des déportés. C'était comme un sas. Nous dormions dans des chambres de deux ou trois, toutes par terre, au pied des lits vides couverts de draps blancs, incapables de supporter l'accueil d'un matelas.

Et nous ne pensions qu'à manger. Notre dos était encore là-bas sur les planches de la coya, notre estomac ici, nous étions démembrées, contradictoires. Nous étions des miracles.

A tous ceux qui dans le hall consultaient les listes, ou sur les trottoirs brandissaient des pancartes et des photos à la recherche de leurs disparus, je répétais, «Tout le monde est mort». S'ils insistaient, me montraient des photos d'une famille, je disais calmement : «Il y avait des enfants? Pas un enfant ne reviendra.» Je ne prenais pas de gants, je ne les ménageais pas, j'avais l'habitude de la mort. J'étais devenue dure comme ces anciens déportés qui nous virent arriver à Birkenau sans un mot de réconfort. Survivre vous rend insupportables les larmes des autres. On pourrait s'y noyer.

Ces gens restaient pourtant et s'agitaient dès qu'un nouveau bus apparaissait chargé de revenants. Au Lutetia, l'attente semblait encore permise. J'y avais bien retrouvé l'homme qui était à l'isolement dans la cellule à côté de la mienne à la prison Sainte-Anne d'Avignon, notre première étape vers les camps. Il avait pourtant été condamné à mort. Je n'avais jamais vu son visage, nous ne pouvions pas nous reconnaître, mais dans le hall du Lutetia, il me cherchait. Tout le monde cherchait tout le monde, pas forcément un parent, ce pouvait être une amitié nouée sur la route ou dans l'enfer d'un baraquement. Lui cherchait Marceline. Je t'avais dit, je crois, comment je communiquais en frappant contre le mur de ma cellule. J'utilisais l'ordre de l'alphabet puisque je ne connaissais pas le morse, le A c'était un coup, le B deux et ainsi de suite. Je lui avais épelé mon prénom de cette façon. Marceline, c'est 80 coups. C'est long, ça crée des liens. «Ils m'ont pas tué, ils m'ont déporté à Buchenwald», a-t-il dit lorsque nous nous sommes retrouvés.

Et je serais bien restée là, à me laisser porter par son histoire, par les autres, à fuir mon pressentiment, ta prophétie, à tenter de te croire encore égaré en Russie ou ailleurs. Loin de la vie, qui de l'autre côté de la rue ne demandait qu'à reprendre, pleine de silences, d'absents, de faux-semblants. La vie où tu n'étais pas.

Mais l'hôtel ne pouvait pas me garder. On m'a mise dans un train en direction du sud avec ma carte de rapatriée. Je n'avais pas envie, si tu savais. Il n'y avait de retrouvailles possibles qu'avec toi. De partage et de récit possibles qu'avec toi. Je rentrais à la maison, le corps remplumé, ils ne m'ont jamais vue maigre, les cheveux en pleine repousse, debout dans un wagon bondé, chanceuse disaient certains puisque j'avais encore une famille. Mais j'étais ailleurs. Agrippée à toi, c'est-à-dire au néant. Dix-huit heures plus tard, le train entrait en gare de Bollène. Maman ne m'attendait pas sur le quai.

L'oncle Charles était là. Il me raconterait plus tard son chemin, comment d'Auschwitz, ils l'avaient envoyé à Varsovie déblayer les restes du ghetto dont la révolte venait d'être écrasée, comment il s'était enfui, caché dans une charrette pleine de gravats, avait rejoint les partisans polonais, combattu avec eux, tout en cachant son numéro, convaincu qu'ils ne voudraient pas d'un juif parmi eux. En pleine débâcle allemande, il avait pris un bateau à Odessa, débarqué avec d'autres en avril à Marseille, mais lorsqu'ils avaient raconté d'où ils arrivaient, on avait voulu les interner avec les fous. Il en avait conclu qu'il valait mieux se taire. Ce jour-là, sur le quai, il m'a juste dit, en me montrant discrètement son matricule : «J'étais à Auschwitz. Ne leur raconte pas, ils ne comprennent rien.»

Michel était avec lui. Il avait grandi, il avait huit ans. Je me suis agenouillée devant lui et je lui ai demandé : «Tu me reconnais?» Il a répondu non, et après quelques instants, il a dit : «Je crois que tu es Marceline.» Il avait l'air d'un enfant abandonné. C'est toi qu'il attendait.

En silence, nous nous sommes mis en route. Une fois que nous avons franchi le pont enjambant le Lez, j'ai vu le château de Gourdon se découper sur la colline. J'ai eu envie de faire marche arrière. Je n'ai jamais compris cet endroit. Je me rappelle la première fois où tu m'y as conduite dans une voiture à cheval, tu étais tellement enthousiaste, tu demandais : «Qu'est-ce que tu souhaites le plus au monde, Marceline ?» comme si tu étais sur le point de l'exaucer. Ce que je souhaitais ? La fin de la guerre, que nous soyons ensemble, plus séparés, cachés, je ne souhaitais rien d'autre. Mais tu insistais, tu disais d'une voix pleine de mystère, «là où je t'emmène…». Tu aurais voulu m'entendre m'exclamer que j'avais toujours rêvé d'une maison comme celle-là. Je ne l'avais pas dit. Je n'avais pas encore l'âge de poser des questions mais je ne comprenais pas ton excitation. La guerre était là, nous vivions séparés, cachés, Pétain avait les pleins pouvoirs, il nous faisait chanter à l'école des chansons que je connais encore par cœur, et tu venais d'acheter un château. Pensais-tu qu'en devenant châtelains, nous n'étions plus juifs à leurs yeux ?

Tu savais pourtant, tu dévorais les journaux. Mais tu voulais croire en ce pays où tu t'étais posé, tu faisais semblant d'oublier que ce château n'était pas à ton nom, pour la simple raison que tu étais juif étranger et que tu n'avais pas le droit de posséder des terres, c'est Henri, ton fils aîné, devenu français à dix-huit ans et fraîchement démobilisé d'une guerre perdue, qui avait signé l'acte de vente. Mais tu proclamais, «C'est déjà la liberté ici», comme pour justifier de ne pas être allé jusqu'au bout, le plus loin possible des pogroms de Pologne.

Tu avais pris le chemin de l'Amérique mais tu t'étais arrêté là, en France, peut-être à cause de Zola et son *J'accuse*, de Balzac que tu avais lu en yiddish, tu t'es sûrement dit qu'ici il ne pouvait rien nous arriver. Comme tu étais naïf. Peut-être même qu'en achetant le château et ses vignes tout autour, tu avais cru un peu au maréchal Pétain qui prônait le retour à la terre. Trop cru à la zone dite libre. Au maire et au commissaire du village qui t'avaient promis qu'ils nous préviendraient. Nous étions juifs et nous habitions la plus visible des demeures.

Ce château n'était pas pour toi, pas pour nous. Et nous y avons passé une nuit de trop. Ce soir-là, nous avions prévenu bien des gens de ne pas rester chez eux, et va savoir pourquoi nous avons repoussé notre fuite au lendemain matin. Une nuit encore. Dans ce château de trop. Tu as vu comme ils nous l'ont tout de suite repris ? Ils y ont regroupé tous les gens qu'ils venaient d'arrêter, nous ne les connaissions pas, peut-être des résistants ou des personnes soupçonnées de les aider, ils arrivaient par grappes, tu étais encore sonné par le violent coup de crosse que tu avais reçu sur le crâne, je préparais maladroitement les valises tandis qu'un Allemand disait «Prenez des pulls, il fait froid là où vous allez». Ils confisquaient la maison sous nos yeux, y compris ceux de Maman et d'Henriette cachées plus loin dans les broussailles, nous n'étions plus chez nous, nous ne l'avions jamais été. Ou à peine deux ans. Ensuite les Allemands y ont pris leurs quartiers.

Nous sommes arrivés presque en silence avec Michel et l'oncle Charles. Maman était dans la cour. Elle m'a prise dans ses bras. «Je ne peux pas rester ici», ai-je dit tout de suite. J'ai ajouté que tu ne reviendrais pas. Ta prophétie me brûlait la gorge. «Repose-toi vingt-quatre heures, on verra bien ensuite», a-t-elle répondu. Ça n'avait pas de sens. Elle voulait gagner du temps. Elle ne savait pas quoi dire.

Elle était de ces gens généreux mais brus-ques, dénués de psychologie, qui bloquent leurs émotions et les changent en rire ou en colère. Tu sais bien comme elle s'emportait et débordait vite, comme elle criait et nous pin-çait fort. Elle avait toujours eu des attentions pour ses fils qu'elle n'avait pas pour ses filles, qui n'étaient qu'un prolongement d'elle-même. Elle t'avait laissé être pour nous, et la tendresse et l'autorité. Elle n'avait pas le cœur sec. Je ne lui en ai pas voulu de son absence au Lutetia, comme sur le quai de la gare. Elle n'a pas compris ou pas voulu comprendre, d'où je revenais. Il lui aurait fallu trouver des mots et des gestes qu'elle ne maîtrisait pas.

Un an déjà qu'ils étaient libérés quand je suis arrivée. Maman était souvent absente, elle tentait de récupérer son magasin à Épinal et tout ce qui nous avait été volé, pour gagner un peu d'argent. Henri était à Paris sur le point de se marier, encore grisé par ses mois passés au sein des Forces françaises libres, porté par cet après-guerre amnésique et antisémite qui se racontait une France héroïque et frappait de déni chacun de mes souvenirs. Jacqueline était en pension à Orange, Michel chez Henriette, je les retrouvais le week-end. Ils avaient l'imagination des plus jeunes, ils disaient qu'un jour tu arriverais à l'improviste, qu'en ce moment tu étais malade et égaré, loin très loin, incapable de donner ton nom et ton adresse. Michel souvent voulait aller à la gare, te guetter sur le quai. Étrangement parfois, je basculais de leur côté, j'épousais leurs illusions, leurs chimères, pas longtemps, quelques heures, pour retomber en enfance. Parfois Jacqueline venait dans ma chambre, elle avait treize ans, elle me posait des questions sur ce qui m'était arrivé, elle était la seule, je lui parlais, mais je ne sais plus ce que je lui disais, si je la protégeais. J'avais commencé à écrire aussi, mais j'ai toujours tout déchiré. Personne ne voulait de mes souvenirs. Nous n'avions pas les mêmes, nous aurions dû les additionner, mais ils nous ont éloignés.

Et j'errais seule dans le château pendant la semaine. La nuit, je faisais d'horribles cauchemars. Le jour, je ne sortais pas, j'avais peur de franchir le pont, d'aller me frotter à ceux du village, je déambulais hagarde dans cette maison trop grande, ses deux étages, ses vingt pièces, sa tour, ses vastes vignes tout autour. Tout me revenait, même les mauvaises blagues d'Henri au sujet de mes cheveux crépus, « Marceline, faut la prendre, la mettre au bout du balai pour enlever les toiles d'araignée ! », parce que ensuite tu le sermonnais et tu me protégeais. Je ne fuyais pas les fantômes, au contraire, je courais après eux, après toi. Avec qui d'autre partager ? Je leur ai parlé à tous de ta lettre, ils auraient aimé l'entendre, mais je n'ai pu leur en transmettre un seul mot, alors ils ont fini par l'oublier. Il m'en restait à moi cette sensation miraculeuse là-bas, d'un message entre mes doigts, *Ma chère petite fille.* Mais ici, plus rien n'avait de sens, ni ce château, ni mon retour, nous semblions lui et moi promis au même abandon, à la malédiction et à la poussière.

J'étais trop jeune alors pour deviner ce que ce château racontait de toi. C'est bien plus tard que j'ai compris, tu avais trouvé là un domaine à la mesure de l'homme que tu rêvais de devenir. Il faut vieillir pour accéder aux pensées de ses parents. Je sais que jeune homme en Pologne, à l'insu de ton père austère et très pieux, tu aimais poser un haut-de-forme anglais sur ta tête et empoigner une canne, tu avais fui les carcans, les mariages arrangés, épousé Maman parce que tu l'aimais, tu te voulais homme de ton siècle. Alors tu avais eu le coup de foudre pour ce château avec sa tour, il serait le symbole de ta liberté, de ta réussite. C'est ton rêve, pas le mien, que tu creusais ce jour où tu m'y as emmenée pour la première fois. «Qu'est-ce que tu souhaites le plus au monde, Marceline?» Personne ne m'a plus jamais posé la question ensuite.

Ce que j'aurais voulu à mon retour, c'est qu'on me traite comme les orphelines. Elles étaient en sanatorium, elles étaient ensemble encore et je pensais à elles. A mes copines, à celles qui étaient mortes comme à celles qui étaient revenues, nous étions une bande, unies face à la souffrance, jamais je ne me suis sentie autant aimée que là-bas. Je sais maintenant qu'elles étaient ma famille, plus que ma famille. «Dis que je suis ta sœur», m'avait soufflé Françoise au camp, quand une coursière des SS avait demandé mon matricule. Sans doute voulait-elle faire quelque chose pour moi, en tout cas c'est ce que j'ai pensé et Françoise aussi, on demande ton numéro, c'est peut-être bon signe, «Dis que je suis ta sœur», murmurait-elle. Nous étions amies depuis Drancy. A notre arrivée au camp, elle m'avait forcée à marcher alors que je voulais monter dans un camion qui m'aurait menée droit à la chambre à gaz, plus tard alors que j'étais tombée très malade, et que j'évitais l'infirmerie, elle avait échangé mon pain contre de l'aspirine, elle aurait pu le manger. Mais je n'ai pas dit qu'elle était ma sœur. J'étais seule, je n'étais responsable que de moi, ma seule famille alors, c'était toi. J'ai toujours pensé que c'était ma faute s'ils l'ont envoyée au gaz. Françoise et ses beaux yeux bleus m'ont poursuivie longtemps, comme un reproche, une sœur d'infortune.

Alors, j'aurais été bien sur le lit d'un sanatorium, avec les autres, à leur parler de Françoise et de mon égoïsme, à les écouter me dire que je n'y étais pour rien, que nous étions innocentes, à regarder pousser nos cheveux, à écouler les souvenirs avec celles qui pouvaient les entendre et les comprendre. Nous allions repartir dans la vie, faire des choix différents, le camp n'avait pas tout effacé de nos origines et de nos tempéraments, mais j'aurais été bien là, un moment, loin du château, de ma mère, du monde qui prend de si haut le sort des jeunes filles.

Très vite, Maman m'a demandé à voix basse si j'avais été violée. Étais-je encore pure ? Bonne à marier ? C'était ça sa question. Cette fois je lui en ai voulu. Elle n'avait rien compris. Nous n'étions plus des femmes, plus des hommes, là-bas. Nous étions la sale race juive, des Stücke, des bêtes puantes. Ils ne nous mettaient nues que pour déterminer le moment de notre mise à mort.

Mais cette folie des juifs après guerre de reconstruire à tout prix, c'était intense, violent, si tu savais. Ils voulaient que la vie reprenne son cours, ses cycles, ils allaient si vite. Ils voulaient des noces, même avec des absents sur la photo, des noces, des couples, des chants et bientôt des enfants pour combler le vide. J'avais dix-sept ans, personne n'a songé à me renvoyer en classe et je n'ai pas eu la force de le demander. J'étais une fille, bientôt ils me marieraient.

Si tu avais été là, tu n'aurais pas supporté ses questions et tu aurais demandé à Maman de se taire. Tu lui aurais dit aussi de me laisser dormir par terre. Elle ne voulait pas comprendre que je ne supporte plus le confort d'un lit. Il faut oublier, elle disait. Peut-être que toi aussi, tu aurais eu du mal à t'allonger auprès d'elle. Tu aurais cherché le sommeil sur le plancher, comme moi, tu aurais fui les cauchemars qui nous rattrapent et nous punissent quand les draps sont trop doux. Je me dis même parfois que tu m'aurais réinscrite à l'école, ça m'a tellement manqué ensuite, tu m'aurais comprise mieux que quiconque et m'aurais tout pardonné. Je rêve sans doute.

Mais nous aurions été deux à savoir. Nous n'en aurions peut-être pas parlé souvent, mais les relents, les images, les odeurs et la violence des émotions nous auraient traversés comme des ondes, même en silence, et nous aurions pu diviser le souvenir par deux.

Le document officiel est arrivé au château le 12 février 1948. *Le ministre des Anciens Combattants et Victimes de guerre décide de la disparition de Rozenberg Szlhama, Froim né le 7 mars 1901 à Slupia Nowa en Pologne.*

Le ministre pourrait se contenter de constater que tu n'es plus là, mais il le décide. Lapsus administratif d'un pays qui décide de ta disparition comme s'il l'avait organisée.

Je l'ai encore ce papier, avec ses mots suspendus en haut de la page, «République Française», «Acte de disparition», puis cette phrase qui se poursuit : *Le ministre décide de la disparition de Rozenberg Szlhama, Froim dans les conditions indiquées ci-après : Arrêté en mars 1944 à Bollène. Interné à Avignon, Marseille, puis Drancy. Déporté à Auschwitz par le convoi parti de Drancy le 13 avril 1944. Transféré à Mauthausen et Gross-Rosen. J'y* lis notre arrestation, le coup de crosse du milicien français sur ta tête lorsqu'il a stoppé notre fuite au fond du jardin. J'y vois nos prisons, ces uniformes français qui nous gardaient à Drancy. J'y reconnais notre transport, convoi 71. Puis ta prophétie qui se réalise. Nos chemins qui s'écartent tandis que la guerre se termine.

Au mois de novembre 1944, tu étais encore à Auschwitz, moi à Birkenau, mais plus pour longtemps. J'ai tourné au bout du bâton de Mengele, comme à l'arrivée, la sélection, encore. J'ai cru mon heure venue, mon ventre saignait à l'intérieur, ma hernie ombilicale, celle pour laquelle on m'avait opérée, tu te souviens ?, elle s'était rouverte, Mengele ne pouvait pas la voir, mais lorsqu'il m'a indiqué une file, j'ai pensé que c'était celle qui partait pour la chambre à gaz. Je me suis pourtant retrouvée avec d'autres dans un wagon de marchandises. Je quittais Birkenau. Je m'éloignais de toi. Je ne savais même pas dans quel sens le train s'en allait. Au bout de deux à trois jours, il a fini par s'arrêter au milieu de nulle part, il faisait très froid, nous avons marché une dizaine de kilomètres encore par la forêt, la mer n'était pas loin, nous le sentions à travers les arbres et nous sommes finalement arrivées au camp de Bergen-Belsen. Là, nos yeux et nos narines l'ont compris avant même qu'on nous le dise : il n'y avait pas de chambre à gaz.

Plus de gaz. Plus cette gueule ouverte où l'on pouvait nous jeter d'une minute à l'autre, nous filles de Birkenau rescapées du plus grand centre d'extermination. Plus la cheminée. Le crématoire. L'odeur des corps qui brûlent. C'est pour cela que je chantais tout en grelottant sous nos tentes posées sur la neige. Rien d'autre que la barbarie ordinaire, la faim, les coups, la maladie, le froid. Même les ordres étaient plus souples. Nous avions des corvées, mais les commandos de travail avaient disparu, comme l'appel pendant des heures dans l'air glacé. Ils nous avaient regroupées entre Françaises, dans mon bloc nous avions choisi une chef qui parlait allemand, elle s'appelait Anne-Lise Stern, elle avait grandi en Allemagne, son père était un disciple de Freud, sa mère socialiste, ils avaient fui vers la France, où le nazisme les avait rattrapés. Anne-Lise faisait en sorte d'obéir et de nous protéger en même temps. L'humanité semblait poindre à nouveau. Ce n'était pas encore de l'espoir. Nous avions l'assurance d'échapper au gaz, pas à la mort.

Deux mois plus tard, en février, nous avons vu arriver les visages harassés des marches de la mort en provenance de Birkenau. J'ai reconnu parmi eux mon amie Simone, sa

sœur, leur mère, que j'appelais Madame
Jacob, elle est morte du typhus quelques
jours plus tard, sur le sol gelé du camp. Elles
avaient tant marché. Elles nous ont raconté
qu'ils avaient vidé Auschwitz et Birkenau
avant que les Russes n'arrivent, poussé sur les
routes du bout de leur fusil ceux qui tenaient
encore debout. Dont toi probablement. Mais
tu marchais dans une tout autre direction que
la mienne. Tu t'en allais vers le sud. J'étais au
nord. Je me roulais nue dans la neige pour
tuer les poux et me réchauffer. Nous n'avions
plus rien à manger, la famine et les épidémies
se chargeaient du travail d'extermination.
Les pires bourreaux de Birkenau étaient
arrivés eux aussi, ils avaient remis leurs sales
méthodes en vigueur, ils nous comptaient et
nous recomptaient, leur obsession du chiffre
encore, tuer du juif même dans la débâcle,
voilà ce qui les poussait à vous faire crever
sur les routes, plutôt que de vous abandonner
dans les camps, là où les Alliés auraient pu te
sauver.

Je t'imagine silhouette d'une colonne
d'hommes décharnés et chancelants poussés
à bout par des SS. Auschwitz. Mauthausen.
Puis Gross-Rosen, dit l'acte de ta disparition.
Quel chemin tu as parcouru ! Des centaines
de kilomètres vers le sud, puis brutalement
demi-tour dans le Reich encerclé, remontée

au nord, plus au nord encore qu'Auschwitz. Ça veut dire que tu as tenu, que tu as marché sans tomber, sans leur laisser l'occasion de t'abattre en route. Qu'il te restait des forces en quittant Auschwitz. Que tu aurais pu survivre.

Où es-tu tandis que je repars ? La violence se déchaîne à Bergen-Belsen. Mais je suis de nouveau mise dans un train avec mon groupe de Françaises. Nous partons pour une usine d'avions Junker, à Raguhn près de Leipzig. Nous partons travailler pour l'industrie d'une guerre perdue. Mon chemin est comme un decrescendo de l'horreur, Birkenau-Bergen-Belsen-Raguhn, camp d'extermination-camp de concentration-usine. Il suit la promesse que tu m'avais faite, « Tu es jeune, Marceline, tu t'en sortiras ». Mais où es-tu ? Nous sommes en février 1945. C'est à ce moment-là, d'après les livres d'histoire, que l'armée soviétique libère le camp de Gross-Rosen. Et c'est là, d'après l'acte de disparition, qu'on trouve la dernière trace de toi. As-tu été liquidé et jeté dans des fosses communes par les Allemands aux abois ? Peut-être pas. Maman disait tenir de quelqu'un qui t'avait vu à Auschwitz, que tu avais quitté le camp avec la marche de la mort au mois de janvier 1945, qu'on t'avait vu à Dachau ensuite, que tu aurais dû y rester, mais que tu t'étais remis en marche pour soutenir un homme qui ne pouvait plus avancer sans toi et que les Allemands auraient abattu. D'après Maman, tu n'avais pas été désigné pour marcher encore, tu t'étais sacrifié. Je n'y croyais pas à son histoire. Au camp, on ne choisissait rien, pas même sa façon de mourir. Mais Dachau c'est possible, j'ai lu que bien des détenus de Gross-Rosen ont été transférés là-bas. Qu'importe que ce ne soit pas écrit. On ne peut plus faire d'inventaire dans le fracas de l'après-guerre. L'administration française a peut-être délivré ces certificats en vrac, inscrivant en face des noms, des lieux et des dates probables, pas forcément vérifiés. Je ne crois à rien de l'histoire officiellement écrite par la France.

Quelle importance aujourd'hui que tu meures en février ou en avril ? Pourquoi vouloir étirer ton supplice ? Je ne sais pas. C'est comme si je luttais encore contre ta prophétie. Ma vie contre la tienne.

Je voudrais que tu ne sois pas mort, en ce mois de février. Moi, je ne porte plus les habits des morts. A Raguhn, on m'a tendu une robe rayée, comme celle dont je rêvais tant à Birkenau. Il y a toujours la croix rouge dans mon dos, l'étoile jaune sur ma poitrine, mais je ne les vois même plus, j'ai la robe que je voulais, et il y a même des gardiennes paysannes qui nous fournissent du fil et une aiguille pour la mettre à notre taille. Elles nous donnent aussi à chacune un pain entier. Nous le dévorons d'un coup, c'est pourtant la ration d'une semaine. Devant la chaîne, je découpe des pièces de moteur sur des moules. Je suis toute petite, ils mettent un banc sous mes pieds, mais la chaîne semble vouloir m'avaler, elle m'emporte un jour et me blesse, des mains me rattrapent, les mains du destin. Je m'en sortirai. Il y a dans l'usine un mélange de juifs et de travailleurs civils allemands. Je me souviens d'une fois où l'un d'eux m'a fait signe qu'il laissait quelque chose pour moi dans le tiroir. C'était un cornet plein d'épluchures de pommes de terre cuites.

Ai-je repris espoir ? En tout cas, j'ose me cacher lorsqu'il faut repartir encore, prendre un train à Leipzig pour je ne sais quelle destination. Les Américains ne sont plus qu'à dix-huit kilomètres, nous le savons. Renée et moi nous cachons dans un cercueil du camp de détention, un cercueil alors que nous envisageons pour la première fois depuis longtemps de survivre ! Mais ils comptent encore à la gare de Leipzig, il en manque deux, ils reviennent, nous cherchent, nous trouvent, nous jettent dans un camion. Il y a le feu partout, les bombardements alliés sont incessants, l'Allemagne est en cendres. Et je pense à Mala qui nous disait de tenir et de vivre.

Elle fut notre héroïne à Birkenau. Elle était juive de Belgique, elle parlait de nombreuses langues, elle avait à ce titre eu le droit de circuler et en profitait pour aider tant qu'elle pouvait. Un jour, elle s'est échappée avec son amant, un Polonais résistant déporté, tous deux déguisés en SS dans une voiture. Tu as forcément entendu cette histoire. Car il en manquait deux à l'heure de l'appel. Tu sais comme la machine nazie enrage d'en avoir perdu deux, même si nous sommes déjà 50 000 ou 100 000 – comment savoir ? – derrière leurs barbelés. Probable que comme nous, vous avez été maintenus des heures debout en rang, ils comptaient et recomptaient, je me demande si ce n'est pas cette fois-là qu'ils nous ont laissées à genoux dehors toute la nuit luttant de nos dernières forces contre la tentation de se laisser tomber et donc de mourir. Mala a été rattrapée trois semaines plus tard à la frontière tchèque, dénoncée par des paysans polonais. Son amant s'est rendu, il ne voulait pas qu'elle pense qu'il avait parlé. Il a été pendu tout de suite. Elle a été mise des semaines au bunker, dans l'une de ces cellules où l'on rentre en rampant et l'on ne peut même pas s'asseoir. Et puis un jour, ils ont ordonné que les Aryennes soient bouclées dans leurs baraquements et les juives rassemblées sur la place du Lager B.

Nous étions des milliers en rangs par cinq, moi devant comme d'habitude, je suis si petite. La potence était dressée, avec son nœud coulant, juste devant se tenaient les chefs SS du camp. Elle est arrivée debout dans une charrette tirée par des déportées, elle était vêtue de noir, les mains ficelées dans le dos, la mise en scène était totale. Le commandant SS Kramer hurlait qu'aucune de nous ne sortirait de là vivante, nous n'étions que de la vermine, des sales juives. Et tandis qu'il hurlait, je voyais quelque chose couler le long d'elle, son sang ! Quelqu'un lui avait manifestement fourni une lame, elle avait coupé ses cordes, puis ses veines, elle choisissait sa façon de mourir. J'étais fascinée par ce sang qui s'échappait et leur échappait tandis que Kramer hurlait sa toute-puissance. Soudain, l'un des officiers SS a vu, il l'a attrapée par le bras, mais elle était détachée, alors elle l'a giflé, il est tombé, et profitant des quelques secondes que lui offrait le désordre, elle s'est mise à parler en français, «Assassins, vous aurez à payer bientôt», puis à nous toutes, «N'ayez pas peur, l'issue est proche ; je sais que j'ai été libre, ne renoncez pas, n'oubliez jamais». Ils l'ont remise à toute vitesse dans la charrette, ont ordonné qu'on soit enfermées dans nos blocs. *Blocksperre !* Bien des versions ont couru ensuite sur la façon dont ils l'ont finalement tuée, ils l'auraient pendue ailleurs, ou bien jetée vivante dans le crématoire. Longtemps nous avons parlé d'elle. Mais nous n'avions pas cru à ses promesses.

Dans ce camion qui nous mène à Leipzig, je la crois enfin. Arrivés à la gare, ils nous jettent dans le wagon des typhiques, comme ils nous auraient jetées dans la chambre à gaz si nous étions encore à Birkenau. Commencent alors dix jours étranges dans nos wagons fermés. Nous ne voyons pas la garde allemande qui s'effiloche, nous ne faisons que compter les cadavres qui s'empilent, nous sommes cent vingt, la maladie galope, la part des mortes augmente très vite, nous empilons leurs corps contre la porte, je vis et je respire tout contre eux. Et toi de quel côté es-tu ? De celui des morts ou de celui des survivants ? Dans le wagon, c'est la seule ligne de démarcation qui compte tandis qu'au-dessus de nous les bombardements font rage. Un jour, alors que le train se traîne, que les jours n'en finissent pas, je sens un morceau de pain dans une poche. Il m'a fallu du temps pour le prendre, j'avais fouillé les poches des morts au Canada, mais leurs corps n'y étaient plus. Finalement j'ai volé la morte et j'ai partagé avec Renée. Parfois le train s'arrête, ils ouvrent les portes, nous réclamons un peu de l'eau qui refroidit le moteur de la locomotive, je cherche les pissenlits, seule herbe comestible que je connaisse. Lorsque nous nous sommes arrêtés pour de bon, il n'y avait plus un seul Allemand dans le train, juste nous et le conducteur. Nous sommes arrivés dans le ghetto de Theresienstadt en Tchécoslovaquie. Ses derniers habitants ouvrent les portes des wagons, ils voient rouler des cadavres, puis nous, bêtes affamées, yeux trop grands dans nos visages émaciés, ils comprennent ce que sont devenus ceux qui sont partis et ce qui les attendait. Ils courent nous chercher à manger. Alors, tels des animaux, les filles des wagons se battent pour la nourriture. Moi je regarde la scène, je ne me bats pas. Ça ne veut pas dire que j'étais mieux que les autres. Ça m'est peut-être arrivé d'être comme ça et j'ai préféré l'oublier aussi. Je ne suis pas un ange.

Je sors vivante d'un fourgon plein de cadavres. «Tu reviendras, Marceline, parce que tu es jeune», disais-tu. Et toi, respires-tu encore en ce mois d'avril 1945? Le typhus emporte Renée. Moi j'ai la gale et le ventre qui saigne. Enfin les Russes libèrent le ghetto. Ils décrètent aussitôt la mise en quarantaine à cause de la maladie. Je fuis, car une autre guerre s'installe que tu ne connaîtras pas, que nous pressentons déjà, le monde se divise en deux blocs, il y aura bientôt l'Est sous le joug soviétique et l'Ouest sous tutelle américaine.

Je marche vers Prague avec d'autres, c'est à soixante kilomètres. Là, un homme me bande le ventre, je bifurque vers la zone américaine, nous marchons sans savoir où nous allons, sans savoir depuis combien de jours nous marchons, sans comprendre ni réaliser ce que nous avons vécu, nous traînons les pieds, nous savons que les nazis ont perdu, mais c'est trop tard, beaucoup trop tard pour se réjouir, les souffrances ont été trop grandes, il ne nous reste que le sentiment de l'horreur et de la perte. Où es-tu ? Je ne pense qu'à toi. Mais je ne te cherche pas parmi les autres. Nous ne nous retrouverons pas comme ça.

Nous avons fini par atterrir au camp de rapatriement de Pilsen. Là, un employé dit : « Nous ne rapatrions pas les juifs, juste les prisonniers de guerre. » Des prisonniers nous ont défendues, ils ont refusé de partir sans nous. La première fois qu'on m'a demandé notre adresse, j'étais arrivée en Sarre, on m'a tendu une jupe, une culotte et une carte de déportée. Et c'est la première fois que j'ai donné le numéro du château, le 58 à Bollène.

Tu étais mort déjà. Je t'imagine semblable à tous les cadavres qui jonchaient le chemin de mon retour. Je t'imagine bras écartés, yeux grands ouverts. Un corps qui a vu mourir et s'est vu mourir. Et que l'on ne nous rendra pas.

Lorsque l'acte de ta disparition est arrivé, trois ans plus tard, nous t'espérions toujours mais sans réellement t'attendre. Michel ne réclamait plus d'aller à la gare. Henri avait épousé Marie. C'était un grand mariage. Comme mes sœurs, j'avais enfilé une robe bleue. Nous étions montés à Paris, nous logions à l'hôtel Terminus près de la gare de l'Est. Tu aurais aimé ce mariage juif, tu aurais été fier de ton fils aîné, héros des Forces françaises libres, filant vers sa nouvelle vie avec Marie arrêtée avec nous et chez nous, revenue vivante ainsi que tous les siens. Le repas de noces eut lieu dans un restaurant chic, le Palais d'Orsay. Tout le monde évitait de parler des camps autour des tables. Mais les habits de fête n'étaient que des armures. Leurs armures. Je ne croyais pas aux mariages du dimanche, à quelques robes blanches jetées par-dessus les vêtements du Canada, je transportais sur moi ces montagnes d'habits triés là-bas, ces odeurs de chairs brûlées qui ne me quitteraient jamais. Je résistais à leur injonction de vivre.

Maman aussi s'est remariée. Elle l'a fait en cachette, sans rien nous dire. Elle nous l'a annoncé ensuite. Je ne lui en ai pas voulu. C'est plutôt la manière et l'homme qu'elle a choisi qui m'ont déplu. Il avait perdu sa femme et ses cinq enfants dans les camps, il jouait aux cartes et s'installait aux crochets de Maman. Nous ne l'aimions pas. Le pouvions-nous ? Je crois avoir fait alors des rêves étranges. J'entrais dans leur chambre, je décrochais les tableaux, surtout le portrait de toi et celui des grands-parents. Je te faisais sortir de cette pièce où elle ne dormait plus seule. Je réalise que c'était en même temps qu'arrivait l'acte officiel de ta disparition. Année 1948. Peut-être Maman a-t-elle eu besoin de ce papier pour se remarier.

Il y est écrit : *La famille peut par simple lettre adressée au Procureur de la République demander soit un jugement déclaratif d'absence qui à l'expiration d'un délai de cinq ans peut être transformé en jugement déclaratif de décès. Soit un jugement déclaratif de décès si le disparu est de nationalité française et appartient à l'une des catégories suivantes, mobilisé, prisonnier de guerre, réfugié, déporté ou interné politique, membre des Forces françaises libres ou des Forces françaises de l'intérieur, requis du Service du travail obligatoire ou réfractaire.* Mais tu n'étais pas français. Tu avais fait bien des démarches avant guerre pour décrocher cette nationalité dont tu rêvais. En vain. Tu l'aimais ce pays, je ne suis pas sûre que c'était réciproque. Je me souviens de ta voix, de ton accent, des mots que tu écorchais, tu parlais bien et mal le français. Tu étais juif étranger, c'était ton seul titre à l'état civil. Il a donc fallu attendre cinq années supplémentaires pour que tu sois officiellement déclaré mort. Maman est devenue française puisque veuve d'un héros. Moi, j'avais rang de soldat.

Il y a ton nom sur le monument aux morts de Bollène. Il y a été inscrit bien longtemps après. C'est le maire qui l'a proposé, mais il voulait ne faire aucune distinction, que tu sois parmi les morts pour la France. Je lui ai dit que je tenais à ce qu'il soit écrit que tu avais été déporté à Auschwitz. Il m'a répondu que ça n'était pas nécessaire. Dans ce cas, je lui ai dit que je préférais que tu n'y sois pas. Il a cédé finalement. C'était il y a moins de vingt ans, juste avant de basculer vers le XXIe siècle, il ne voulait toujours pas de trace d'Auschwitz sur le monument du village. Tu n'es pourtant pas mort pour la France. La France t'a envoyé vers la mort. Tu t'étais trompé sur elle.

Pour le reste, tu avais vu juste. Je suis revenue.

Jacqueline m'offre des fleurs le 10 mai, comme si c'était mon anniversaire. Chaque année, ça me touche beaucoup, nous sommes proches, différentes et attentives l'une à l'autre, il ne reste que nous deux. Le 10 mai, c'est la date de ma libération par les Russes à Theresienstadt. Je suis née ce jour-là. Je sais que Jacqueline le fait pour moi mais aussi pour son père.

Mon retour est synonyme de ton absence. A tel point, que j'ai voulu l'effacer, disparaître moi aussi. J'ai sauté dans la Seine deux ans plus tard, l'année où Henri se mariait. C'était un peu après le quai Saint-Michel, j'avais enjambé le parapet, j'allais m'élancer quand un homme m'a retenue. Puis j'ai eu la tuberculose, on m'a placée dans un sanatorium chic en Suisse, à Montana. Maman venait me voir parfois. Je ne supportais pas son impatience, cette façon qu'elle avait de me réclamer d'aller bien et d'oublier. J'étais si lourde. J'ai tenté de mourir une deuxième fois.

Au camp pourtant, j'ai tout fait pour être des vivantes. Ne jamais me laisser aller à l'idée que la mort c'était la paix. Ne jamais devenir celle que j'ai vue se jeter dans les fils électriques. Elle ne fut pas la seule, c'était devenu une expression commune, aller au fil, mourir vite, électrifiée ou sous une rafale de mitraillette depuis le mirador, puis tomber dans le profond fossé creusé juste devant les barbelés. Ne jamais renoncer à la volonté de vivre, ne jamais ressembler à celles qui se laissaient aller, choisissaient la négligence, un lent détachement de leur corps, une mort plus progressive. Elles commençaient par ne plus garder d'eau au fond de leur gamelle pour se laver un peu, elles ne mangeaient plus, se retiraient, on les appelait les musulmanes, je ne sais pas pourquoi, encore un mot des Polonaises, peut-être à cause de leur couverture qu'elles posaient sur leur tête. Bientôt, plus décharnées que nous encore, elles n'étaient plus aptes au travail et partaient pour la chambre à gaz. J'ai tenu, moi. J'ai surmonté les maladies et combattu la tentation de me laisser couler. J'ai fait mon premier jeûne de kippour pour me sentir plus juive, et digne encore face au SS. J'ai développé toutes les stratégies de survie. Peut-être ai-je même

commencé dans le wagon. Tu te souviens ?
Nous arrivions, nous étions à bout, silencieux,
c'était l'aube, le train ralentissait, je suis montée sur les épaules de quelqu'un, j'ai regardé
par la lucarne, j'ai vu un groupe de femmes
qui marchaient cinq par cinq, elles semblaient
porter la même robe, elles avaient toutes un
foulard rouge sur la tête, alors j'ai dit : « On va
avoir des costumes ici. » Je plaquais les mots
de la civilisation sur ce qui nous attendait, je
préférais ça au mutisme qui t'avait gagné ainsi
que tous les autres. Je résistais déjà. Et quand
les portes se sont ouvertes, j'ai écouté le murmure des déportés dans leurs habits rayés qui
me disaient : « Donnez les enfants aux vieillards, dites que vous avez dix-huit ans. » Je
venais d'en avoir seize à Drancy et j'étais plus
petite que la normale. Un SS m'a fait ouvrir la
bouche trois fois de suite pour voir ma denti-
tion, et j'ai menti sur mon âge.

Pourquoi une fois revenue au monde,
étais-je incapable de vivre ? C'était comme
une lumière aveuglante après des mois dans
le noir, c'était violent, les gens voulaient
que tout ressemble à un début, ils voulaient
m'arracher à mes souvenirs, ils se croyaient
logiques, en phase avec le temps qui passe, la
roue qui tourne, mais ils étaient fous, pas que
les juifs, tout le monde ! La guerre terminée
nous rongeait tous de l'intérieur.

J'aurais aimé te donner de bonnes nouvelles, te dire qu'après avoir basculé dans l'horreur, attendu vainement ton retour, nous nous sommes rétablis. Mais je ne peux pas. Sache que notre famille n'y a pas survécu. Elle s'est disloquée. Tu avais fait des rêves trop grands pour nous tous, nous n'avons pas été à la hauteur.

Après le mariage d'Henri, nous sommes restés vivre à Paris, au deuxième étage du 52, rue Condorcet. Nous avons progressivement déserté ce château dont tu étais tombé amoureux. Il est devenu un lieu de vacances, voire de punition. Maman m'y envoyait chaque fois que je n'allais pas bien, comme pour me tremper dans le jus de ton autorité et de tes rêves qui furent probablement aussi les siens. Nous l'avons vendu en 1958.

Tu aurais dû revenir. J'ai toujours pensé qu'il eût mieux valu pour la famille que ce soit toi plutôt que moi. Ils avaient besoin d'un mari, d'un père plus que d'une sœur. C'est étrange, je sais, de raisonner ainsi. Mais depuis cette prophétie que tu as faite à Drancy, j'ai toujours pensé ta vie contre la mienne. Et c'est ce que j'ai lu dans les yeux de Michel sur le quai où il est venu me chercher avec l'oncle Charles. C'est toi qu'il attendait. A Birkenau, je te l'ai dit déjà, j'avais oublié son prénom, mais je l'associais à toi, comme une jambe ou un bras, je le voyais dans ses culottes courtes de velours sombre, traînant un bâton de bois où remuaient des petits poussins jaunes dès qu'il avançait, vous alliez, à travers les champs qui entouraient le château, il ne te lâchait pas. Ton arrestation fut pour lui une amputation. Il a dû demander après toi, on lui a probablement répondu que tu allais revenir. Mais c'est moi qu'il a vue sur le quai. Il était si petit, si frêle encore.

Très vite ensuite, il a montré des signes alarmants auxquels nous n'avons pas suffisamment prêté attention. Il n'a pas tenu longtemps en pension, il s'isolait, refusait de se laver. Alors Maman l'a retiré, confié à Henriette. On a évacué sa douleur comme mes souvenirs. Notre famille, après toi, était devenue un endroit où l'on appelait au secours mais personne, jamais, n'entendait. Jeune homme, il s'est un temps abrité derrière la pseudo-légèreté de Saint-Germain-des-Prés, mais ton absence creusait en lui. Son mal couvait et empirait. Il s'est mis à jouer avec le suicide. Il a fini par devenir maniaco-dépressif. J'ai essayé de m'occuper de lui, mais dans ses moments de crise, c'est moi qu'il visait : il dessinait des croix gammées sur ma boîte aux lettres ou bien laissait des messages sur mon répondeur, il prenait une voix de SS et aboyait « Vous prendrez le convoi 71 avec

Madame Simone Veil ». Il s'était même fait
tatouer SS sur l'épaule. Il jouait au bourreau
pour se rapprocher de la victime, toi. Il m'en
voulait de t'avoir accompagné, j'avais pris sa
place, celle de l'enfant qui marche dans ton
sillage. C'est en tout cas comme ça que je l'en-
tendais. Il était malade des camps sans y être
allé. Lorsqu'il a atteint l'âge de ta disparition,
il a avalé des médicaments et de l'alcool, mais
cette fois des doses dont on ne revient pas.
Nous n'avons enfoncé sa porte qu'un mois
plus tard et trouvé son corps. Nous l'avons
enterré au cimetière juif de Pantin. Il avait
toujours dit « je mourrai à l'âge de mon père ».

Deux ans après lui, Maman est morte. Puis
Henriette, quelques semaines plus tard. Elle
s'est suicidée à soixante ans. Même cocktail
que Michel. Elle aussi est morte des camps
sans jamais y être allée. Morte de n'avoir
pas pu te parler, t'expliquer, te retrouver.
Tu n'aurais jamais dû la chasser, comme tu
l'as fait au début de la guerre parce qu'elle
était tombée amoureuse de ce soldat dont
elle était la marraine, il n'était pas juif, alors
elle redoutait ta colère et l'avait épousé en
cachette. Tu étais furieux, tu l'as mise dehors,
tu n'aurais pas dû, comme vous n'auriez
jamais dû la retirer de l'école à la naissance
de Michel, pour qu'elle s'occupe de lui. Elle
était si brillante. Je t'écris d'un temps où les

femmes ont conquis leur place, j'aurais aimé
que tu le connaisses, qu'il te bouscule, que tu
écoutes et comprennes les rêves et les aspirations de tes filles, Henriette, Jacqueline et
moi. Henriette était d'un grand courage. Elle
avait rejoint la Résistance. J'ai su en rentrant
que lorsque nous avons été arrêtés, elle avait
réussi à savoir que nous serions transférés à
Marseille en autocar, avant d'être envoyés à
Drancy. Alors elle avait tenté de mobiliser ses
réseaux pour nous faire libérer, elle voulait un
assaut sur l'autobus, nous sauver et revenir
parmi nous. Elle s'est séparée de son soldat
après guerre, elle l'a quitté pour se faire par-
donner, reconquérir une place dans la famille,
mais il n'y avait plus rien à reconquérir. Plus
de famille sans toi.

Si nous avions eu une tombe, un endroit
où te pleurer, les choses auraient peut-être
été plus simples. Si tu étais rentré, diminué,
malade, pour mourir comme tant d'autres,
car rentrer ne voulait pas dire survivre, nous
t'aurions vu partir, nous aurions serré tes
mains jusqu'à ce qu'elles soient sans force,
nous t'aurions veillé nuit et jour, nous aurions
écouté tes dernières pensées, tes murmures,
tes adieux, ils auraient chassé à tout jamais
la lettre qui me manque aujourd'hui, ils
auraient apaisé Michel, rassuré Henriette, ils
nous auraient fourni à tous une seule et même

image de fin. Et nous t'aurions fermé les yeux
en récitant le kaddish. Enfants, nous connaissions la mort et ses rites, le drapeau noir, le
corbillard qui passe lentement dans la rue,
nous la croisions et la respections, nous étions
bien plus forts que les gens d'aujourd'hui, ils
ont tellement peur d'elle, si tu savais. Mais
ce n'est pas la mort qui t'a emporté. C'est
un grand trou noir, dont j'ai vu le fond et
la fumée. Il n'avait pas encore fini sa sale
besogne. La guerre terminée, il semblait nous
aspirer encore.

Michel et Henriette sont morts de ta disparition. Il leur a toujours manqué des mots
qui les accompagnent, leur indiquent quelle
était leur place dans cette histoire et dans
ce monde. Moi j'en ai une. Je suis la survi-
vante. Je sais où tu es mort et pourquoi. J'ai
surtout des bouts de toi qui n'appartiennent
qu'à moi. Tes derniers pas, tes derniers mots
même si je les ai oubliés, tes derniers gestes,
tes derniers baisers.

Nous avons couru tous les deux au fond
du jardin ce soir-là, et le milicien nous a cueil-
lis derrière la porte. Nous avons été transférés
ensemble à la prison Sainte-Anne en Avignon. Là-bas, tu m'embrassais, tu disais on
va essayer de s'évader, tu écrivais des lettres à
Maman, l'une d'elles est sortie grâce au soldat
autrichien de la Wehrmacht, il avait pleuré en

nous voyant arriver, je lui faisais penser à sa
petite fille rousse, il t'avait dit, «Là où vous
allez vous ne reviendrez pas, il faut vous évader avant». On a pu se voir une fois dans les
toilettes extérieures, je savais aussi où était
ta cellule, alors lorsque j'étais de corvée de
serpillière dans le couloir, je chantais fort,
O sole mio, pour que tu m'entendes venir, et
une chanson de scout aussi, *On ne voit que
le ciel, on ne sent que le soleil, Au revoir, Au
revoir, Nous allons chercher le vent, la route est
longue dans la montagne.* Pourquoi je me rappelle encore les paroles de cette fichue pro-
pagande, et plus du tout tes derniers mots?

Je ne t'ai jamais confié, je crois, ce que j'ai
gravé alors au mur de ma cellule à Sainte-
Anne. *C'est presque un bonheur de savoir
à quel point on peut être malheureux.* Je ne
sais pas ce qu'en ont pensé les détenus qui
ont pris ma place ensuite, ceux de la guerre,
comme ceux des temps de paix, s'ils étaient
d'accord ou pas, s'ils comprenaient ce que ça
voulait dire. Car le bonheur que j'évoquais,
c'était celui d'être avec toi. Je ne savais pas
encore où j'allais, l'autocar qui nous transfé-
rerait vers Marseille, le wagon troisième classe
qui nous conduirait à Drancy, puis le convoi
71, au moins 1 500 personnes déportées vers
Auschwitz-Birkenau, toi et moi parmi une
soixantaine dans le wagon à bestiaux avec

tous ces bagages qui ne serviraient à rien, moi qui, au bout d'une journée, ai crié que j'avais soif, un homme m'a giflée, « Ici tout le monde a soif alors tais-toi ! », toi qui n'as pas réagi, tu as eu raison, j'apprenais, nous avancions vers l'horreur et je devais m'y habituer. Mais je l'ai redite cette phrase, après la guerre, malgré la suite, la peur du gaz, les crématoires, les cicatrices indélébiles sur mon corps et dans ma tête, je l'ai redite, plus clairement encore : Je t'aimais tellement que j'étais heureuse d'être déportée avec toi. Et je peux la dire encore. Car avec le temps, l'ombre des camps sur ma vie se confond avec ton absence. Et c'est d'avoir vécu sans toi qui me pèse.

Ton portrait est dans ma chambre maintenant. J'en ai hérité à la mort de Maman. C'est une photo prise dans les années trente, rien n'y laisse deviner ta taille moyenne, on ne voit que ton buste dans un costume sombre à fines rayures, tu as l'air fort. Je l'ai installé au-dessus de la commode. Sur le mur d'en face, j'ai accroché l'esquisse d'une femme nue, elle sourit alanguie, allongée, je l'ai chargée de t'aguicher. C'est pour que tu arrêtes de me regarder. Que je puisse me déshabiller tranquillement sans que tu me voies.

Je n'aime pas mon corps. C'est comme s'il portait encore la trace du premier regard d'un homme sur moi, celui d'un nazi. Jamais, je ne m'étais montrée nue avant ça, surtout dans ma nouvelle peau de jeune fille qui venait de m'imposer des seins et tout le reste, la pudeur était de rigueur dans les familles. Alors se déshabiller, pour moi, a longtemps été associé à la mort, à la haine, au regard glacé de Mengele, ce démon du camp chargé de la sélection, qui nous faisait tourner nues sur nous-mêmes au bout de sa baguette et décidait qui vivrait ou pas. Je pense être passée devant lui à l'arrivée et au départ, « C'est Mengele », disaient les autres, je ne savais pas à quoi il ressemblait, je l'ai reconnu sur les photos après la guerre, ses cheveux noirs dont pas un ne bougeait, sa casquette légèrement inclinée d'un côté, ses yeux qui vous transperçaient puis vous envoyaient à droite ou à gauche, sans que l'on sache laquelle des deux files s'en irait vers la mort. Je me pinçais les joues pour les faire rosir juste avant d'aller devant lui et son équipe de médecins SS méprisants et moqueurs qui nous jaugeaient, j'essayais de cacher mes plaies, les furoncles qui s'infectaient et pourrissaient, je voulais lui montrer un corps encore beau et fort.

Mes orteils gelés sont engourdis à tout jamais. Les infections ont laissé sur mes bras et mes jambes des cercles blanchâtres où la peau est fine et molle. Longtemps, j'ai gardé sur la nuque les traces des coups de bâton.

Et si je suis restée sèche, menue, c'est parce
que j'ai souvent pensé devant ma glace, dix,
vingt ou trente ans plus tard, Faut que je reste
mince et svelte pour pas passer au gaz la prochaine fois.

Je n'ai jamais eu d'enfants. Je n'en ai jamais
voulu. Tu me l'aurais sans doute reproché.
Le corps des femmes, le mien, celui de ma
mère, celui de toutes les autres dont le ventre
gonfle puis se vide, a été pour moi définitivement défiguré par les camps. J'ai en horreur
la chair et son élasticité. J'ai vu là-bas s'affais-
ser les peaux, les seins, les ventres, j'ai vu se
plier, se friper les femmes, le délabrement des
corps en accéléré, jusqu'au décharnement, au
dégoût et jusqu'au crématoire. Je détestais
notre promiscuité, l'intimité violée, la difform-
ité, le frôlement des silhouettes en fin de
course. Nous étions les miroirs les unes des
autres. Les corps autour de nous étaient pré-
monitoires et nous nous reprochions ce que
nous étions en train de devenir. Plus aucune
femme ne saignait, certaines se demandaient
s'ils ne mettaient pas du bromure dans notre
nourriture, c'est juste que les cycles de la vie
s'étaient interrompus. La maternité n'avait
plus de sens, les bébés étaient les premiers
envoyés au gaz. Parfois, la beauté résistait
vaille que vaille, dessinant des silhouettes plus
dignes que d'autres, «Vous êtes trop belle

pour mourir», avait dit Stenia, la criminelle polonaise devenue sous-chef du camp, à mon amie Simone. Jusqu'au moment où l'on ne se distinguait plus les unes des autres, si ce n'est celles qui tenaient et celles qui abdiquaient. J'ai été des premières. Mais je n'avais rien à transmettre de bon à un enfant, j'ai même toujours eu du mal à accueillir ceux qui naissaient chez mon frère, ma sœur, mes amies.

Il m'a fallu bien des rencontres pour m'accommoder à l'existence, à moi-même. Et du temps pour aimer. Je me suis coulée dans d'autres époques, dans d'autres vies, dans des histoires d'amour qu'on ne raconte pas à son père, dans des combats et des révolutions censés dissoudre le passé.

Peu à peu, je me suis laissé porter par ma génération, son méli-mélo, et j'ai découvert les sensations de la jeunesse. J'ai eu envie de faire quelque chose de moi, sans trop savoir quoi, j'ai voulu me fondre dans une histoire plus vaste que la mienne, eu envie de découvrir le monde, d'apprendre, de rire un peu, de me joindre aux discussions infinies des bistrots de Saint-Germain-des-Prés. De la rue Condorcet où nous habitions, je prenais le bus 85 jusqu'au Quartier latin, plein d'étudiants, d'intellectuels mais aussi de paumés dans mon genre. J'ai senti palpiter en moi l'envie de vivre, cette chose qui me faisait chanter quand nous grelottions sous la neige de Bergen-Belsen.

J'ai tenté d'éloigner Birkenau, je n'en parlais plus jamais, je cachais mon numéro. J'étais souvent avec une amie, Dora, qui rentrait de déportation elle aussi, elle y avait perdu sa mère, sa petite sœur, elle était malheureuse, je le sentais, je savais que de toute façon le malheur était enraciné en nous. Alors, pour me distinguer du malheur, je me distinguais de Dora. Elle était intimidée à l'idée de rentrer dans les cafés, j'en poussais la porte fièrement comme les filles ne le faisaient pas couramment à l'époque. Je nous revois au Dupont Latin, assises toutes les deux. Elle s'effaçait, je me redressais. Des garçons venaient nous parler, ils étaient légers, amusants, j'aurais plongé dans leurs bouches rieuses et bavardes, j'avais soif de légèreté et de connaissance, deux mots qui résumaient Saint-Germain-des-Prés. On y croisait tout ce que la guerre n'avait pas emporté, l'antisémitisme y était fort encore, mais l'important c'était d'avoir des conversations. C'était un drôle de brassage, de bourgeois, de gens de gauche, de maquisards déchus. J'avais autour de moi une galerie d'orphelins dont j'étais proche, et en même temps, j'en avais marre des juifs, marre de cette promiscuité héritée des camps. J'avais besoin des autres.

Je ne me demandais surtout pas ce que tu aurais voulu pour moi, je craignais trop la réponse, la même que Maman probablement, un beau mariage juif et beaucoup d'enfants. Elle déchirait en criant les pantalons que je mettais comme toute jeune fille libérée, et elle me prenait à partie dès qu'il y avait du monde à la maison. J'étais incasable. J'allais vers une vie qui n'aurait probablement pas eu ton assentiment.

Je veux croire, pourtant, que tu n'aurais pas crié. Qu'après ce qu'on avait vécu, tu aurais aimé ma liberté. Mais au fond, je ne sais pas quel homme tu aurais été. J'ai le sentiment de ne pas t'avoir vraiment connu. Nous avons été séparés au moment où nous aurions commencé. Je me rappelle cette promenade dans les bois, la guerre était déjà là, tu me mettais en garde contre les garçons. J'étais sauvage déjà, et toi très strict. Nous aurions eu des explications de toute façon. Même orageuses, elles me manquent. J'aurais voulu des claquements de porte et des réconciliations. Et puis le temps passant, ces mots qu'on dit pour revisiter et panser le passé.

Si je me demande encore où j'ai bien pu perdre ta lettre, si je varie selon les jours – l'ai-je cachée dans un banc de l'étuve quand il a fallu changer de vêtements ? l'ai-je perdue à Bergen-Belsen ? à Theresienstadt ? –, si je cherche encore dans les tréfonds de ma mémoire, ces lignes manquantes tout en étant sûre que je ne les retrouverai jamais, c'est qu'elles ont fini par dessiner un recoin de ma tête, où je me glisse parfois avec ce que je n'arrive pas à partager, une page blanche où je peux te parler encore. Je sais tout l'amour qu'elles contenaient, je l'ai cherché toute ma vie ensuite.

Je ne porte plus ton nom et ça me manque. Mais je rajoute souvent, «née Rozenberg», ça veut dire rose de montagne ou montagne de roses, c'est très joli. Je porte les noms des hommes que j'ai épousés. Aucun n'était juif, ne m'en veux pas. Le premier s'appelait Francis Loridan, je l'ai rencontré alors que j'étais tombée de bicyclette sur le chemin du château, il m'a aidée à me relever et très vite nous nous sommes mariés. Il était ingénieur, rêvait de partir à l'étranger en espérant que je le suive, mais je n'avais pas envie de vivre dans ces pays colonisés où les chantiers recrutaient, pas envie d'être une épouse chez les maîtres blancs, pas envie de quitter Paris non plus. Il est parti à Madagascar, tandis que je me réparais dans le bouillon politique et culturel de Saint-Germain, j'enchaînais les petits boulots jusqu'au jour où j'ai trouvé un travail à la télévision. Je ne l'ai jamais rejoint, mais nous n'avons divorcé que bien longtemps après notre séparation, et j'ai gardé son nom car c'était devenu ma signature professionnelle. Je dois avouer que ça m'arrangeait, l'antisémitisme était encore très répandu après guerre, c'était plus facile de s'appeler Loridan que Rozenberg. Le second c'était Joris Ivens. Et je dois te parler de lui.

Joris avait trente ans de plus que moi. C'était un voyageur venu de Hollande, un poète, un artiste, un homme charpenté aux cheveux longs et blancs, on l'appelait «le Hollandais volant». Il était né au tournant du siècle comme toi. Il avait vécu la naissance du cinéma, il en était l'un des pionniers, l'un des plus grands du documentaire, connu dans le monde entier, il avait parcouru la planète caméra à l'épaule, raconté la guerre d'Espagne, les luttes des travailleurs et la libération des peuples. C'était un homme habité, hanté par la misère humaine et constamment déchiré. Comme bien des artistes de l'entre-deux-guerres, il était devenu compagnon de route du Parti communiste, en réaction à la montée des fascismes. Il souffrait de voir l'idéal changé en plomb par le système soviétique mais il ne rompait pas. Je l'ai rencontré en 1962, il m'avait vue dans un film intitulé *Chronique d'un été.* J'y apparaissais tendant un micro au hasard dans la rue, je demandais aux passants « Êtes-vous heureux ? ». Puis j'y parlais de toi, des camps, de ta disparition. C'était une tout autre façon de faire du cinéma, les gens se racontaient et se dévoilaient. Dans la famille, on me l'a reproché. « N'allez pas voir le film, Marceline se montre », a décrété une tante. Joris m'a vue lui sur la pellicule, montrant mon matricule, racontant ton absence sans jamais avoir l'air triste, je crois. Mais je n'ai pas dit que j'étais heureuse. Joris qui connaissait le réalisateur lui avait confié : « Cette fille, si je la rencontre, je pourrais tomber amoureux d'elle. » C'est ce qui s'est passé. Nous ne nous sommes plus quittés.

Il savait donc mon histoire, la tienne. Nous ne l'avons que très rarement abordée, nous ne nous parlions pas beaucoup l'un de l'autre. Nous faisions en sorte de ne jamais nous blesser. Nous nous considérions comme une hydre à deux têtes, nous voyagions, nous faisions des films, nous rêvions l'avenir. Joris a écrit dans ses mémoires que nous avions en commun le désir de débarrasser la planète de ses impuretés, c'est un mot un peu fort, à la mesure de son idéalisme, mais c'est vrai. Nous étions pris par le présent et nous pensions même avoir un poids sur l'histoire. C'est une sensation unique quand on a été un Stück de Birkenau.

Mais je te parle d'un temps que tu n'as pas connu. Imagine le monde après Auschwitz. Quand la pulsion de vie succède à la pulsion de mort. Quand la liberté retrouvée contamine la planète entière et décrète de nouvelles batailles. Imagine Israël enfin créé! J'ai tant pensé à toi, à la joie qui aurait été la tienne. Tu étais sioniste depuis toujours. Entre les deux guerres, tu versais de l'argent au Fonds national juif pour le rachat de terres en Palestine. Tu rêvais d'une nation future, tu achetais, ton frère était déjà sur place. Nous y aurais-tu emmenés si tu avais survécu? Aurais-tu vendu le château, ton rêve devenu malédiction, et choisi de partir? Je t'y aurais suivi. Je me suis présentée avec une amie dès 1947, dans les bureaux d'une organisation juive qui s'occupait des départs. Je voulais combattre ou aider là-bas. Ils ont dit non, nous étions mineures. Des rescapées des camps, il y en avait déjà beaucoup sur place, et j'imagine qu'ils ne savaient pas quoi en faire. Nous étions des filles ravagées.

Le monde offrait des lignes de fuite. Tandis qu'Israël naissait, l'un après l'autre les peuples des pays colonisés par les vieilles puissances européennes redressaient l'échine et réclamaient leur indépendance. Je me passionnais pour ces secousses et les discussions sans fin qu'elles entraînaient. Je me disais, puisque je ne peux rien faire pour moi, je vais faire quelque chose pour les autres. Le soulèvement des Algériens fut la grande cause de ma génération, et pour moi une mise à l'épreuve, j'ai milité, jusque dans l'illégalité, au sein des réseaux indépendantistes, jusqu'à voir la police française perquisitionner mon appartement, et j'y ai consacré un film, *Algérie année zéro*, qui fut longtemps interdit. Plus j'exigeais réparation pour eux, plus j'avais l'impression de m'acquitter de moi-même. D'avoir trouvé ma place. Ils étaient arabes et moi juive, mais ce n'était pas le problème. Je pensais qu'à travers la libération des peuples, qu'ils soient algérien, vietnamien, chinois, le problème juif se réglerait de lui-même. C'était une terrible erreur, l'avenir l'a prouvé, mais j'y croyais fermement.

J'avais pourtant dit que je me méfiais des peuples, des années plus tôt dans ma cellule de Sainte-Anne, antichambre de Drancy et Birkenau, alors que nous venions d'être arrêtés. J'avais presque seize ans et je m'affichais gaulliste, ma codétenue résistante était communiste, elle m'avait demandé pourquoi je ne l'étais pas. «Parce que je n'aime pas le peuple, c'est lui qui fait les pogroms», avais-je répondu. Je parlais comme une juive, sans savoir pourtant où l'on allait m'emmener. Je pensais probablement un peu comme

toi. Je ne comprenais pas grand-chose aux
discussions que j'avais pu entendre à la maison avec ton frère Herman, fier communiste
parti se battre en Espagne au sein des Bri-
gades internationales, ou avec Bill, le frère de
Maman, parti lui aussi combattre les troupes
franquistes, mais je devinais l'enjeu, sauver
le monde, nous sauver nous les juifs, et aussi
qu'ils te reprochaient ta modération. Nous
avions tous l'oreille collée sur Radio Londres
qui racontait qu'on gazait les juifs dans des
camions. Sache que Bill est mort en héros, il a
tué l'officier allemand de la Gestapo qui l'in-
terrogeait puis il s'est jeté par la fenêtre du
quatrième étage.

Quinze ans plus tard, la question m'était
posée à mon tour de l'avenir des hommes. Je
n'étais pas devenue optimiste. Je tremblais
dans un hall de gare. Je refusais toute salle de
bains avec douche à l'hôtel. Je ne supportais
pas la vue des cheminées d'usine. On le sent
toute sa vie qu'on est revenu. Mais pour vivre,
je n'avais pas trouvé mieux que de croire,
comme mes oncles avant moi, et jusqu'à la
déraison, qu'on peut changer le monde.

Avec Joris, nous avons filmé la guerre au
Viêtnam, là-bas j'ai eu droit au respect des
guerriers pour avoir réchappé aux camps
d'extermination. Et nous avons voulu croire
à la révolution chinoise. Je ne sais pas ce que

te disaient de la Chine les journaux d'avant-
guerre que tu lisais, c'était si loin, mais Joris
tournait déjà là-bas, il filmait les paysans
combattant l'invasion japonaise et il y avait
gardé des liens. Si bien que lorsque les com-
munistes ont pris le contrôle du pays, il s'est
senti de leur côté, espérant cette fois que
l'idéal ne virerait pas au cauchemar totalitaire
comme en URSS. Il m'y a emmenée. Nous y
avons tourné une quinzaine de films qui ont
reçu un très bel accueil dans le monde entier.
Nous passions en France pour des propa-
gandistes de ce grand démon communiste
et ses millions de fourmis bleues. Nous voulions établir un pont entre l'Orient et l'Oc-
cident, nous voulions interroger cette société
qui prétendait changer les rapports entre les
hommes, nous tentions d'écouter les Chinois
plutôt que leurs dirigeants dont nous connaissions trop bien les censures et les dérives.
Vainement, nous courions après l'idée même
de révolution. Nos films s'ouvraient sur des
contes chinois, où il était question de dépla-
cer les montagnes.

J'étais probablement une femme sous
influence. Joris me dévorait. Mais j'avais
besoin de cette dépendance, de la force et des
certitudes d'un homme comme lui. Il était
l'école que je n'avais pas terminée. L'amour
qui me sauverait. Il était l'ailleurs. L'antidote à

ton absence. Bien des fois, je n'étais pas d'accord avec lui et je le lui disais. J'aimais l'idée de révolution, mais je n'étais pas communiste, j'avais fréquenté quelques mois le parti et je l'avais fui plutôt que d'appuyer la terreur soviétique. J'ai posé le ferment du doute dans la tête de Joris. Il l'écrit dans ses mémoires. *Comment deux personnes si proches l'une de l'autre par leurs aspirations, leur révolte, leur sens de la justice, pouvaient se retrouver aussi éloignées sur des questions idéologiques ? Ce fut pour moi le moment de faire le point et d'essayer de voir ce qui était juste et ce qui ne l'était pas.* J'aime ces lignes, elles disent notre complémentarité, nos errements autant que notre sincérité.

C'est vain d'expliquer à un mort, des années, des pays, des gens, des films qu'il ne connaîtra jamais. Je me suis pourtant surprise, l'autre jour encore, à te parler à voix haute de la Chine. Je te disais, comme ça, seule dans mon appartement parisien, que certaines grandes universités de Chine ont créé des études sur le judaïsme et le Talmud. Je tissais des liens et des ressemblances entre ce peuple et le nôtre. Entre lui et moi. Je me rappelais que déjà petite, la Chine était dans mes rêves d'enfant. Qu'à l'école, on nous disait de collecter le papier argent des tablettes de chocolat pour les petits Chinois victimes de la famine, qu'après guerre j'aimais pousser la porte d'une librairie du cinquième arrondissement, pleine de livres avec des fermoirs en os, et que la première fois que là-bas, j'ai mangé des raviolis chinois, j'ai pensé aux Krepler de la maison. Je te parlais comme pour me justifier. Je ne parlais qu'à moi-même. Il y a longtemps, au mitan de ma vie sans toi, je me suis drapée d'illusions, gelée de l'intérieur pour ne plus penser à rien et fuir. Je me suis donc éloignée de toi.

Joris est mort en 1989 alors que la Chine connaissait une fronde étudiante dont il espérait beaucoup. Et la Chine ? demandait-il sur son lit d'agonie. Nous respirions avec le monde. Il est mort avec l'écrasement sanglant de la révolte. Victime d'un rêve qui avait très mal tourné. Le journal italien *La Repubblica* a écrit, «Le dernier crime de Deng Xiaoping, c'est la mort de Joris Ivens». Son décès m'a plaquée au sol. Henri m'a dit alors : «Finalement tu avais épousé ton père.» Il a dit ton père, pas notre père. Sur le moment, j'ai été choquée. Puis j'y ai repensé. Il n'avait pas pris ta place, elle était imprenable, il n'avait pas été un protecteur, j'avais pris soin de lui, autant que lui de moi. Nous étions deux artistes, deux sauvages. Mais j'avais épousé un homme de ton âge, héritier de ce XIXᵉ siècle exalté qui croyait en un progrès mécanique et continu de l'Histoire. J'avais aimé un homme que tu aurais aimé. Joris l'avait sûrement compris lui aussi, mais sans jamais m'en parler. Et il me laissait seule à son tour sur les ruines du XXe siècle.

Son ami, le photographe Henri Cartier-Bresson, a déroulé une pellicule photo et a écrit un message pour lui dessus. Il me l'a confiée en disant, «Tu en fais ce que tu veux». Je ne l'ai pas lu, j'ai pensé que c'était pour Joris, je l'ai mise dans sa poche pour qu'il soit moins seul. J'y ai glissé de ma part un petit globe terrestre, ce monde que nous avions parcouru et rêvé ensemble. Puis j'ai laissé refermer son cercueil.

Ensuite, sans l'avoir vraiment décidé, je suis retournée vers toi. Ça s'est passé à l'occasion d'un festival de cinéma à Varsovie, en 1991. J'ai été invitée à aller y présenter notre dernier film, il s'appelle *Une histoire de vent*, nous l'avions tourné en sachant qu'il n'y en aurait pas d'autre après, Joris y cherche le vent, son souffle aussi, le conte dit que lorsque la terre respire, cela s'appelle le vent. D'abord j'ai refusé l'invitation, je ne voulais pas remettre les pieds en Pologne. Ils ont tellement insisté que j'ai fini par dire oui mais à condition d'aller à Auschwitz-Birkenau.

J'ai alors fait une découverte : nous étions tout près l'un de l'autre. J'ai marché de ton

côté, parmi les baraquements et les dortoirs
d'Auschwitz, je n'étais jamais venue, je ne
savais pas dans quel bloc tu étais, je n'avais
aucun repère. J'ai alors cherché l'endroit où
tu m'avais glissé l'oignon et la tomate. C'était
une route, mais laquelle ? Je ne l'ai pas retrouvée. Je me suis donc consacrée à Birkenau.
J'en avais un souvenir très précis. J'ai vu un
renard dormir dans les ruines du crématoire.
Des gens du coin passer à vélo comme on
prend un raccourci. J'ai ramassé, incrustés et
rouillés dans le sol, un chevalet de musique
qu'utilisait l'orchestre du camp et une cuillère naguère si précieuse. C'était vide. Alors
tout est remonté très vite, l'odeur, les cris, les
chiens, Françoise, Mala, le ciel rouge et noir à
force de flammes. Puis j'ai retrouvé ma coya
et je m'y suis couchée.

J'ai fait un film, dix ans plus tard, de ces
moments-là, je voulais traverser le miroir,
percer un passage, atteindre l'imaginaire
de ceux qui n'y sont pas allés. Je ne suis pas
sûre d'y être arrivée. Comment transmettre
ce que nous avons nous-mêmes tant de mal
à nous expliquer ? J'ai demandé à l'actrice
Anouk Aimée de prendre ma place, de s'allonger à son tour sur la coya, et de redire la
phrase qui t'est adressée : « Je t'aimais tellement que je suis contente d'avoir été déportée avec toi. »

J'ai quatre-vingt-six ans et le double de ton âge quand tu es mort. Je suis une vieille dame aujourd'hui. Je n'ai pas peur de mourir, je ne panique pas. Je ne crois pas en Dieu, ni à quoi que ce soit après la mort. Je suis l'une des 160 qui vivent encore sur les 2500 qui sont revenus. Nous étions 76500 juifs de France partis pour Auschwitz-Birkenau. Six millions et demi sont morts dans les camps. Je dîne une fois par mois avec des amis survivants, nous savons rire ensemble et même du camp à notre façon. Et je retrouve aussi Simone. Je l'ai vue prendre des petites cuillères dans les cafés et les restaurants, les glisser dans son sac, elle a été ministre, une femme importante en France, une grande figure, mais elle stocke encore les petites cuillères sans valeur pour ne pas avoir à laper la mauvaise soupe de Birkenau. S'ils savaient, tous autant qu'ils sont, la permanence du camp en nous. Nous l'avons tous dans la tête et ce jusqu'à la mort.

Aujourd'hui, j'ai la gorge serrée. Je m'emporte souvent. Je ne sais pas me détacher du monde extérieur, il m'a enlevée lorsque j'avais quinze ans. C'est une mosaïque hideuse de communautés et de religions poussées à l'extrême. Et plus il s'échauffe, plus l'obscurantisme avance, plus il est question de nous, les juifs. Je sais maintenant que l'antisémitisme est une donnée fixe, qui vient par vagues avec les tempêtes du monde, les mots, les monstres et les moyens de chaque époque. Les sionistes dont tu étais l'avaient prédit, il ne disparaîtra jamais, il est trop profondément ancré dans les sociétés.

Quand le siècle a basculé, 2000 puis 2001, quelque chose de terrible est arrivé, impensable pour moi, indescriptible pour toi qui as quitté ce monde il y a si longtemps : deux avions pilotés par des terroristes ont foncé sur les deux plus hauts gratte-ciel de New York, le monde entier était devant sa télévision, les tours ont été pulvérisées, je regardais les gens se jeter par les fenêtres pour échapper aux flammes, et en moi tout se déchirait, tout se clarifiait aussi, les illusions que j'avais encore tombaient comme des peaux mortes, je ne sais si l'horreur a réveillé l'horreur, mais à compter de ce jour-là, j'ai senti combien je tenais à être juive. C'est comme si jusque-là, j'avais navigué tout autour, mais c'est finalement ce qu'il y a de plus fort en moi, être juive.

Je me sens l'héritière trompée de tes illusions, un prolongement de toi, l'enfant née de ta fuite. Tu rêvais d'Amérique, eh bien la première fois que je suis allée à New York, la ville m'aspirait, je ne voulais plus la quitter, et j'ai compris que je poursuivais ton exil. Tu rêvais d'Israël, il est là, je m'y sens bien chaque fois que j'y vais, mais ce n'est pas le pays de paix auquel nous aspirions. Israël est en guerre depuis sa création. D'ordinaire les guerres se terminent, pas celle-là, car l'Etat juif n'a jamais été accepté par les pays arabes tout autour de lui, ses contours sont flous, explosifs. Et plus ça dure, plus Israël devient suspect, y compris dans les opinions publiques européennes. J'entends résonner dans ma tête la réplique d'un film, il s'appelle *Welcome in Vienna*, il retrace notre histoire, celle des juifs d'Europe, l'un des personnages dit : «Ils ne nous pardonneront jamais le mal qu'il nous ont fait.» J'ai toujours été pour la coexistence d'Israël et d'une Palestine, mais je suis de plus en plus affectée par ce qui se passe et ce que j'entends, je ne veux pas juger, je ne vis pas là-bas, mais pas un doute ne m'atteindra tant qu'il sera question de détruire Israël. Je poursuivrai ton rêve.

Tu avais choisi la France, elle n'est pas le creuset que tu espérais. Tout se tend encore une fois, on nous appelle les juifs de France, il y a aussi les musulmans de France, nous voilà mis face à face, moi qui m'étais voulue de tous bords, en tout cas du côté de la liberté. J'ai entendu des menaces, comme des échos lointains, j'ai entendu qu'on criait «mort aux juifs» et aussi «juif, fous le camp, la France n'est pas à toi» et j'ai eu envie de me jeter

par la fenêtre. Jour après jour, je perds mes
convictions, mes nuances, une part de mes
souvenirs, je finis par douter de mes engage-
ments passés, je vois des policiers devant les
synagogues mais je ne veux pas être quelqu'un
qu'on protège !

J'ai vécu puisque tu voulais que je vive.
Mais vécu comme je l'ai appris là-bas, en pre-
nant les jours les uns après les autres. Il y en
eut de beaux tout de même. T'écrire m'a fait
du bien. En te parlant, je ne me console pas.
Je détends juste ce qui m'enserre le cœur. Je
voudrais fuir l'histoire du monde, du siècle,
revenir à la mienne, celle de Shloïme et sa
chère petite fille. Ainsi je retourne vers l'enfance, vers l'adolescence qu'il ne m'a pas été
donné de vivre, et c'est normal à mon âge.

Il y a deux ans, j'ai demandé à Marie, la
femme d'Henri : « Maintenant que la vie se
termine, tu penses qu'on a bien fait de revenir des camps ? » Elle m'a répondu : « Je crois
que non, on n'aurait pas dû revenir. Et toi
qu'est-ce que tu en penses ? » Je n'ai pas pu
lui donner tort ou raison, j'ai juste dit : « Je
ne suis pas loin de penser comme toi. » Mais
j'espère que si la question m'est posée à mon
tour juste avant que je ne m'en aille, je saurai
dire oui, ça valait le coup.

DOSSIER

Une adolescente dans la tragédie
de l'histoire. Retour sur la destruction
des juifs en Europe.

Annette Wieviorka

Marceline Loridan-Ivens est née Rozen-berg à Épinal dans les Vosges le 19 mars 1928. Arrêtée le 29 février 1944 parce qu'elle était juive, emprisonnée à Avignon et Marseille, elle est conduite en train au camp de Drancy le 1er avril 1944. Le 13 avril 1944, elle est déportée à Auschwitz-Birkenau par le convoi n° 71. Elle y passe sept mois. En novembre 1944, elle est transférée au camp de Bergen-Belsen, puis en février 1945 au Kommando de Raguhn, enfin, en avril, au camp-ghetto de Terezin. C'est là qu'elle recouvre la liberté. Elle arrive gare de l'Est à Paris, est conduite en autobus à l'hôtel Lutetia et regagne enfin la gare de Bollène.

Cette histoire singulière d'une adolescente victime de la tragédie de l'histoire, Marceline Loridan-Ivens l'a évoquée dans *Chronique d'un été* (film de Jean Rouch et Edgar Morin, 1960), dans son propre film *La Petite Prairie aux bouleaux* (2003), et dans ce beau récit précédent *Et tu n'es pas revenu* (avec Judith Perrignon, 2015).

Il est important d'entendre cette voix qui nous vient d'un passé dont nous sommes les contemporains. Pour unique qu'elle soit, elle est aussi l'expression d'un destin collectif, celui de ces juifs – certains français depuis des générations, d'autres immigrés d'Europe centrale et orientale en France – frappés par les persécutions de l'occupant allemand et de l'État français, déportés dans le plus grand centre d'assassinat de l'histoire : Birkenau. Marceline fait partie des rares survivant(e)s.

Son milieu d'origine

Le père de Marceline, Szlama, est né le 7 mars 1901 à Nowa Slupia, en Pologne, non loin de la ville de Kielce. Après la Grande Guerre, en 1919, il émigre en France à Épinal puis Nancy et avec son épouse, Frymet née Gruszkiewicz, fonde une famille nombreuse.

Au moment de la déclaration de guerre, la France compte 300 000 à 330 000 juifs. L'imprécision de ce chiffre provient du fait que depuis 1872, après l'établissement de la IIIe République, il est interdit en France d'inscrire sur les documents administratifs des mentions religieuses ou ethniques. Une partie de ces juifs vivent en France depuis des siècles. Avant la Révolution française, ils habitaient dans le Comtat Venaissin (Avignon, Carpentras...), dans le Sud-Ouest (Bordeaux...), en Alsace et en Lorraine. Après la Révolution, qui fait des juifs des citoyens comme les autres, ils commencent une migration vers Paris.

Entre 1881 et 1914, environ 30 000 juifs – fuyant notamment les pogroms de l'Empire tsariste –, ainsi qu'environ 10 000 juifs de l'Empire ottoman, choisissent la France. Mais c'est après la fin de la Première Guerre mondiale qu'arrive la plus grande vague d'immigration et de réfugiés : 150 000 environ. Au total, 175 000 à 200 000 juifs ont émigré en France entre 1906 et 1939. Une partie d'entre eux (55 000) ont été naturalisés. À la veille de la guerre, 140 000 sont toujours étrangers. Ils résident alors majoritairement à Paris.

Les persécutions de l'occupant allemand et de l'État français

La guerre est déclarée le 3 septembre 1939. Après une période où les armées allemandes et françaises campent derrière leurs lignes fortifiées, la Wehrmacht lance une offensive éclair. C'est la débâcle. Le 16 juin 1940, le maréchal Philippe Pétain devenu président du Conseil demande l'armistice, c'est-à-dire la suspension des combats. Signé le 22 juin 1940, cet armistice découpe la France en différentes zones. Les trois quarts – le Nord, ainsi qu'une bande le long des côtes, est zone occupée par les Allemands, tandis qu'au sud d'une ligne qui suit *grosso modo* le tracé de la Loire se trouve la zone libre. Les départements du Nord et du Pas-de-Calais sont eux rattachés au gouvernement militaire allemand de Belgique. Le gouvernement français, avec à sa tête Pétain et Laval, installé à Vichy, garde sa souveraineté sur tout le territoire, sauf sur les deux départements d'Alsace, le Haut et Bas-Rhin et la Moselle, qui sont annexés à l'Allemagne.

Tous les juifs – étrangers, français par naturalisation, naissance ou filiation – sont immédiatement victimes des législations croisées de l'occupant allemand et de l'État français. Pendant les deux premières années, ordonnances allemandes valables pour la seule zone occupée et lois et décrets de Vichy les isolent progressivement mais inexorablement, et les privent de leurs moyens de vivre. C'est le « temps des décrets » (Edgar Faure). Dès le 22 juillet 1940, une loi de Vichy prévoit de réviser les naturalisations postérieures à 1927. La date n'est pas choisie au hasard : une loi de 1927, dont l'objectif était de pallier le déclin démographique français consécutif aux pertes de la Première Guerre mondiale, avait rendu facile l'accès à la nationalité française et permis à un million d'étrangers environ de devenir français. Les juifs ne sont pas la seule cible de ces dénaturalisations, mais ils en sont la principale. Le décret-loi de 1939, dit Marchandeau, qui faisait de l'injure raciale un délit, est aboli. Le déferlement de l'insulte antisémite est à nouveau possible. L'ordonnance du commandement militaire allemand du 27 septembre concerne la seule zone occupée. Elle définit d'abord « qui est juif » : « Ceux qui appartiennent ou appartenaient à la religion juive, ou qui ont plus de deux grands-parents (grands-pères et grands-mères) juifs. Sont considérés comme juifs les grands-parents qui appartiennent ou appartenaient à la religion juive. » S'ils ont fui la zone occupée, ils ne peuvent y revenir. Surtout, toute personne juive doit se présenter dans les commissariats de police pour Paris ou dans les sous-préfectures pour se faire recenser. La déclaration du chef de famille est valable pour toute la famille. Une affichette « entreprise juive » doit être apposée en français et en allemand à la devanture de tout

commerce dont le propriétaire ou le déten-
teur est juif.

La quasi-totalité des juifs (90 % selon des
estimations concordantes) a honoré ce recensement : par légalisme ou peur des sanctions,
par dignité, mais aussi parce qu'aucun mot
d'ordre, de quelque horizon que ce fût, n'a
alors encouragé à la désobéissance, et que
bien peu ont pris conscience – et comment
l'auraient-ils pu ? – de la mécanique qui se
mettait en place. Un tampon rouge, «juif»
ou «juive», marque la carte d'identité. Pour
le seul département de la Seine qui englo-
bait alors les communes limitrophes et où
résidaient près d'un juif sur deux, quelque
150 000 juifs se sont fait recenser : quelque
85 000 Français (certains naturalisés, d'autres
depuis plusieurs générations ou français par
déclaration), environ 65 000 étrangers.

Le 2 juin 1941, l'État français prend le
relais de l'occupant allemand, ordonnant
à son tour un recensement. C'est à ce dernier que souscrit Szlama Rozenberg pour
sa famille. Le recensement touche les biens
comme les personnes.

En contradiction avec la tradition républi-
caine, ces recensements mettent ainsi au jour
une improbable population juive à définition
erratique. Que cette définition fût davantage

religieuse, comme dans l'ordonnance allemande, ou davantage raciale, comme dans celle donnée par le statut des juifs promulgué en octobre 1940 – « est regardé comme juif [...] toute personne issue de trois grands-parents de race juive ou de deux grands-parents si son conjoint lui-même est juif » –, qu'elle fût plus ou moins large ou étroite, elle définit toujours « le juif » par le poids de son ascendance. Ainsi, la liberté d'être ou de ne plus être juif, fruit de l'émancipation, est annulée. Surtout, ces recensements sont à la base du fichage. La préfecture de la Seine constitue, sous l'autorité du commissaire Jean François et d'André Tulard – sous-directeur du service des étrangers et des affaires juives à la préfecture de police, un grand fichier et, dérivant de ce fichier central, quatre sous-fichiers : par nom, par domicile, par profession, par nationalité.

Alors qu'en zone occupée le recensement est en cours, le gouvernement de Vichy promulgue la loi du 3 octobre 1940 « portant statut des juifs », valable pour les deux zones. Pour l'essentiel, c'est la longue liste des professions interdites à ceux que le statut définit comme juifs. Ils ne peuvent plus exercer de mandats politiques ; la fonction publique leur est largement fermée ; ils ne peuvent plus travailler dans la presse, la communication ou le cinéma. Il est prévu de limiter leur nombre dans les professions libérales. Une série de décrets précisera ces interdictions.

À y regarder de près, le statut des juifs touche pour l'essentiel les juifs français. Les immigrés n'exercent guère alors les professions désormais interdites. La législation précoce de Vichy ne les oublie pourtant pas. Nous avons vu que les juifs étrangers étaient visés par la loi permettant les dénaturalisations. Le 4 octobre 1940 est adoptée la loi sur les ressortissants étrangers de « race juive ». « Ils pourront, précise-t-elle dans son article 1, [...] être internés dans des camps spéciaux par décision du préfet du département de leur résidence.» Ils pourront aussi « en tout temps se voir assigner une résidence forcée» par ce même préfet. Quant aux juifs d'Algérie, hors d'atteinte des Allemands, avec l'abolition du décret Crémieux qui leur avait accordé en 1870 la nationalité française, ils deviennent des «indigènes des départements d'Algérie», au statut identique à celui des indigènes musulmans.

L'occupant s'en prend aussi rapidement aux biens. Sa seconde ordonnance, du 18 octobre 1940, jette les bases de ce qu'on appellera bientôt l'«aryanisation économique». Le terme même est un néologisme, la francisation du terme allemand *Ariesierung*, c'est-à-dire transfert des biens juifs dans des mains non juives. Au-delà du préjudice matériel, ces mesures qui se mettent en place progressivement tranchent, comme l'écrit l'historien Joseph Billig, « l'enracinement matériel dans la nation ». Elles rencontrent d'abord l'hostilité du maréchal Pétain, sensible au principe de propriété : « attaquer la puissance universelle de celle-ci lui paraissait redoutable », note encore Billig. Pourtant, dans la logique qui est celle de Vichy – affirmer son autorité sur tout le territoire français, empêcher que les biens volés ne partent en Allemagne –, l'État français décide à son tour d'intervenir dans l'« aryanisation » des biens. À une première phase allemande qui oblige toute « entreprise juive » à se doter d'un administrateur provisoire « aryen » succède une phase proprement française. Le 29 mars 1941 est créé le Commissariat général aux Questions juives, véritable ministère à l'antisémitisme, qui a notamment la charge de l'« aryanisation » de l'économie. Il inspire la grande loi du 22 juillet 1941, alignée sur les principes allemands. Son but est d'« éliminer toute influence juive dans l'économie nationale ».

La situation des juifs s'est ainsi dégradée. Fichés, spoliés, privés de la possibilité d'exercer certaines professions, ils peuvent aussi, en ce qui concerne les étrangers, être internés sur seule décision administrative. Ils sont aux marges de la nation.

En mai 1941, pour la première fois, ils sont massivement arrêtés et internés. 6 664 hommes, polonais, tchécoslovaques, ex-autrichiens, choisis grâce au fichier perfectionné issu du recensement de la préfecture de police, ont reçu un «billet vert», autrement dit une convocation à se rendre le 14 mai, accompagnés, au commissariat de police de leur domicile pour examen de situation. Plus de 40 % des personnes convoquées se dérobent. Au respect de la légalité vichyste ou allemande, qui a marqué les premiers mois de l'occupation, ont succédé la méfiance et le début de la désobéissance. Celui ou celle qui a accompagné la personne convoquée va chercher les effets de la personne détenue et deux jours de ravitaillement. Les 3 700 hommes sont ensuite conduits en autobus gare d'Austerlitz et chargés dans quatre trains spéciaux. Ils sont internés dans deux camps à l'histoire jumelle, à Pithiviers et à Beaune-la-Rolande. La seconde arrestation est bien une rafle. Le prétexte : l'«agitation communiste» qui a suivi l'entrée de la

Wehrmacht en Union soviétique le 22 juin 1941. Le 20 août 1941, le XIe arrondissement de Paris est bouclé. Ce jour-là et les jours suivants, plus de 4 000 juifs sont arrêtés à leur domicile ou dans la rue, conduits à la Cité de la Muette, à Drancy, des logements sociaux inachevés, qui commence ainsi son existence de camp pour juifs. Une troisième arrestation de masse a lieu le 12 décembre 1941 à Paris. Ces arrestations de 743 hommes – pour l'essentiel appartenant aux élites – ont lieu dans les beaux quartiers de Paris. Ces hommes sont conduits au camp de Compiègne-Royallieu.

Ce sont pourtant les 16 et 17 juillet 1942 à Paris qui résument le sort tragique des juifs de France pendant la guerre. Par le nombre de ceux qui furent arrêtés : plus de 12 000 ; par le fait que pour la première fois, ce ne sont plus seulement des hommes en âge de travailler, mais principalement des femmes et des enfants (plus de 4 000) ; parce que cette rafle, ordonnée par les Allemands, a été effectuée par la police française. Mais surtout, parce qu'à la différence des précédentes, elle s'inscrit clairement dans le projet de la Solution finale. Cette rafle est entrée dans l'histoire sous le nom de Rafle de Vél' d'Hiv' car les familles arrêtées furent conduites dans l'enceinte de Vélodrome

d'hiver (détruit en 1959), tandis que céli-
bataires et couples sans enfants l'étaient à
Drancy.

Au moment de la Rafle du Vél' d'Hiv', la
déportation des juifs de France vers Auschwitz a commencé depuis trois mois. Dans
l'indifférence générale, un premier convoi
est parti pour Auschwitz le 27 mars 1942,
suivi par six autres convois entre le 5 juin
et le 17 juillet. Les responsables nazis sou-
haitent accélérer le rythme des déportations
de France. Le 11 juin 1942, le SS Theodor
Dannecker, le responsable nazi en France de
la persécution des juifs, est à Berlin pour une
conférence convoquée par Adolf Eichmann.
Faisant suite à la conférence de Wannsee qui
trace les grandes lignes de l'organisation de la
Solution finale, cette conférence s'occupe de
sa mise en œuvre pour les pays occupés de
l'Europe occidentale : Pays-Bas, Belgique,
France.

Le premier convoi de déportés juifs a
quitté la France pour Auschwitz le 27 mars
1942. Après le convoi de Marceline, le 71ᵉ, il
y en aura encore une dizaine. Près de 76 000
juifs ont été déportés de France, principalement vers Auschwitz. Les travaux les plus
récents montrent qu'environ 3 500 d'entre
eux ont survécu.

Auschwitz

La destination principale des convois de juifs voués à être assassinés est donc Auschwitz, ou plutôt Birkenau, une extension du camp de concentration d'Auschwitz. Car dans les bâtiments de briques rouges, que chacun connaît par les photos ou les films, avait été installé, au printemps 1940, un camp de concentration du type de Dachau ou Buchenwald pour hommes polonais. Ceux qui y étaient internés entraient en passant sous l'inscription : *Arbeit macht frei*, Le travail rend libre. Ceux qui, comme Marceline, furent directement conduits à Birkenau ne connurent jamais Auschwitz, situé à trois kilomètres.

En mars 1941, dans la perspective de l'attaque contre l'Union soviétique, le Reichsführer SS Heinrich Himmler a ordonné la construction d'un camp à Birkenau (Brzezinka, en polonais, qui signifie bois de bouleaux), pour 100 000 prisonniers de guerre. Seuls 15 000 seront internés à Auschwitz, et périront dans la construction d'un camp dont la finalité change très vite. Il devient de fait, à partir du printemps 1942, la destination des juifs de toute l'Europe occupée, pour y être, dans leur immense majorité, assassinés dès leur arrivée. C'est, selon l'expression forgée

par l'historien américain Raul Hilberg, non
un camp mais un « centre de mise à mort » : au
bout d'un terminal ferroviaire, un endroit où
ceux qui y sont conduits ne sont pas destinés
à y être prisonniers, mais à être immédiatement tués. Les nazis ont décidé que l'Europe
devait devenir *Judenfrei*, libre de juifs, ou
Judenrein, propre de juifs, par l'assassinat de
chaque homme, femme ou enfant.

Le chemin de Marceline ressemble à celui
du million de juifs de toute l'Europe qui furent
déportés à Auschwitz-Birkenau. Elle passe
quelques jours au camp de Drancy, par lequel
transitèrent la majorité des juifs déportés de
France. Anne Frank, elle, était passée par
son équivalent hollandais, celui de Wester-
bork. Puis c'est le terrifiant voyage, hommes,
femmes et enfants entassés dans des wagons à
bestiaux, deux ou trois jours dans la promiscuité, la puanteur, la faim et surtout la soif qui
parfois rend fou. Le train stoppe à 500 mètres
environ du camp, sur ce qui sera nommé la
Judenrampe, le quai aux juifs. L'arrivée est toujours décrite comme un choc, le passage bru-
tal d'une frontière qui fait basculer dans un
univers autre. On ouvre les wagons. Ce sont
des hurlements, des coups, des soldats, des
chiens. Les paquets et les bagages sont abandonnés, collectés par les détenus affectés au
« Canada », c'est-à-dire aux baraques (trente

à Birkenau) où sont stockés et triés tous les biens des déportés. Sur le quai est effectué par des médecins ce que les nazis appellent la « sélection ». Il s'agit de savoir qui entrera au camp et qui sera conduit directement « aux gaz », comme on dit dans la langue des camps d'Auschwitz. Ceux qui entrent dans le camp sont ceux déclarés « aptes au travail », un nombre variable de détenus qui dépend de la capacité du centre au moment de l'arrivée du convoi et des besoins en main-d'œuvre. Le convoi de Marceline, celui du 13 avril 1944, est particulièrement important – 1 500 personnes, dont 148 enfants de moins de 12 ans ; parmi eux, 34 des 44 enfants de la colonie d'Izieu, cette maison d'enfants dont les occupants furent arrêtés en avril 1944 sur ordre de Klaus Barbie avec Léa Feldblum, qui avait choisi d'accompagner les enfants de la colonie d'Izieu dont elle était la monitrice. Seule à survivre à la déportation, elle témoignera au procès de Klaus Barbie (1978).

À l'arrivée à Auschwitz, 165 hommes sont « sélectionnés », c'est-à-dire qu'ils entrent dans le camp et sont immatriculés (de 184 097 à 184 261), parmi eux le père de Marceline, ainsi que 223 femmes (immatriculées de 78 560 à 78 782), parmi elles Marceline ; Ginette Cherkasky (devenue Kolinka par son mariage), qui suivit le même chemin que Marceline à partir de la prison d'Avignon jusqu'à Terezin; Yvonne Jacob et ses deux filles, Madeleine et Simone (devenue Veil par son mariage avec Antoine); Anne-Lise Stern, devenue psychanalyste, auteure du *Savoir-déporté*; Hélène et Alexandre Persitz, ce dernier l'architecte du Tombeau du martyr juif inconnu, devenu Mémorial de la Shoah.

Plus de 1 100 déportés de ce convoi – il y a parmi eux tous les enfants d'Izieu comme 11 000 autres enfants de France – sont donc «sélectionnés» pour être assassinés dans les heures qui suivent leur arrivée. Les personnes âges montent dans des camions. Jusqu'en 1943, ceux qui étaient destinés à la chambre à gaz marchaient jusqu'à l'un ou l'autre des «Bunkers», en fait deux maisons paysannes – la petite maison rouge et la petite maison – dont les issues ont été hermétiquement closes et qui ont été aménagées en chambre à gaz. Puis il est décidé de construire quatre installations intégrant chambre à gaz et crématoires qui entrent en fonction successivement à partir de mars 1943. C'est vers ces installations que sont dirigés ceux du convoi de Marceline qui n'ont pas été «sélectionnés».

Un mois après l'arrivée de Marceline, en mai 1944, commence la déportation des juifs de Hongrie. En sept semaines, un demi-million de juifs de ce pays arrivent à Birkenau.

Pour rationaliser leur assassinat, la voie ferrée a été tirée jusqu'à la zone des grands crématoires-chambres à gaz. C'est cette voie ferrée que l'on voit sur toutes les photos et tous les films. Plus d'un million de juifs ont ainsi trouvé la mort sans avoir été enregistrés au camp. En novembre 1944, Himmler ordonne la destruction des chambres à gaz. Il n'en reste donc aujourd'hui que des ruines.

Ceux qui ont été « sélectionnés » connaissent donc les formalités de l'enregistrement. Tous racontent, comme Marceline, les étapes de leur entrée au camp. Ils doivent se mettre nus devant tout le monde. Ils sont tondus, rasés, puis enregistrés. Un numéro leur est attribué. « Plus rien ne nous appartient, écrit Primo Levi : ils nous ont pris nos vêtements, nos chaussures et même nos cheveux. [...] Ils nous enlèveront jusqu'à notre nom. » Marceline est devenue le 78750, Primo Levi le 174517. Le numéro est tatoué sur l'avant-bras gauche. Ce tatouage est une particularité des camps d'Auschwitz.

Les détenus sont ensuite affectés à une baraque et à un commando de travail. Comme bien d'autres, Marceline est affectée à la construction, car les camps d'Auschwitz ont été un interminable chantier. Tous et toutes racontent la faim, le froid ou la chaleur torride, la promiscuité, la boue, la rareté de l'eau, la soif, l'épuisement qui fait douter de la possibilité de la survie. Si on s'en tient au convoi de Marceline, à la mort des trois quarts des membres du convoi gazés dès leur arrivée s'ajoute celle de deux personnes sur trois entrées au camp.

Évacuation du camp

En août 1944, la population des camps d'Auschwitz atteint son apogée, avec 130 000 détenus de toute nationalité. Ce cimetière, le plus grand cimetière du monde, où un million d'hommes, de femmes et d'enfants ont été réduits en cendres, a aussi été, et de très loin, le camp nazi le plus peuplé.

À l'été 1944, l'armée soviétique a atteint la Vistule, ce fleuve qui traverse la Pologne du sud au nord. Elle est alors à moins de 200 kilomètres des camps d'Auschwitz. La Haute Silésie est désormais à portée des bombes des Alliés, qui cherchent à détruire le potentiel industriel allemand qui s'y trouve, notamment les dépôts de carburants. Des bombes endommagent à deux reprises, en août et septembre 1944, les usines de l'IG Farben à Auschwitz Monowitz qui ont pour objet de fabriquer du fuel et du caoutchouc synthétique à usage militaire; le 13 septembre, plusieurs bombes tombent sur Auschwitz I qui abrite dans son voisinage immédiat une usine d'armement, l'Union Werke, où travaillent des détenus, causant la mort d'une quarantaine d'entre eux et d'une quinzaine de SS. D'autres bombardements, les 23 et 26 décembre, endommagent l'hôpital des SS de Birkenau.

Avec d'autres – Margot et Anne Frank, ou son amie Ginette Kolinka –, Marceline a été évacuée vers le camp de Bergen-Belsen. En effet, entre juillet 1944 et le 15 janvier 1945, quelque 65 000 détenus, soit la moitié du nombre des détenus des camps d'Auschwitz, ont été transférés en cent trente convois dans dix camps à l'intérieur de l'Allemagne. Mi-janvier 1945, il reste donc 67 000 détenus dans les camps d'Auschwitz. Ils sont pour la plupart jetés sur les routes, à pied pendant des dizaines de kilomètres, puis en wagons découverts. Ils rejoignent leurs camarades évacués précédemment. Ainsi, Yvonne, Madeleine et Simone Jacob retrouvent-elles Marceline à Bergen-Belsen.

Bergen-Belsen

Bergen-Belsen représente un cas particulier. La variété des dénominations de ce camp suffit à exprimer sa complexité : «camp d'échange»; «camp d'internement civil»; «camp de séjour»; «camp de repos ou de convalescence»; «camp de transit» ou tout simplement «camp de Celle», du nom de la ville la plus importante dont il est proche. Aucune de ces dénominations n'est fausse. Aucune ne le résume tout entier. Bergen-Belsen n'est pas un camp de concentration comme Buchenwald, Dachau ou le camp pour femmes de Ravensbrück. Il n'est pas un centre de mise à mort comme Belzec ou un complexe alliant ces diverses fonctions comme Auschwitz. Conçu en 1943 comme un camp réservé à des juifs susceptibles d'être échangés ou de servir d'otages, il a aussi abrité des détenus exténués transférés d'autres camps de concentration. Les détenus n'ont pas le crâne rasé à leur entrée au camp et conservent leurs effets personnels. Bref, c'est un camp où la survie est en principe la règle.

Tout change à l'été 1944, lors de l'avance soviétique. Bergen-Belsen devient alors, par sa situation géographique au centre du Reich, un des lieux d'évacuation des convois venus de l'Est. Il se dote d'un camp de femmes juives hongroises et polonaises. Les premiers convois y arrivent en octobre 1944. Fin 1944, 8 000 détenues y sont entassées. Dès lors, les convois ne cessent d'arriver, de l'Est puis, en avril 1945, des camps plus à l'ouest. Bergen-Belsen est surpeuplé. Plus d'eau, plus d'installations sanitaires, plus de nourriture. Les épidémies – typhus et dysenterie notamment – y font rage. La mortalité est considérable. Margot et Anne Frank y meurent, probablement en février 1945, Yvonne Jacob en mars. Les cadavres jonchent le sol. On ne les brûle plus dans le crématoire, et il n'existe nulle possibilité de les enterrer. C'est un spectacle d'horreur que découvrent les Britanniques quand ils y entrent le 15 avril 1945, y trouvant quelque 60 000 détenus, dont un grand nombre meurt dans les jours et les semaines qui suivent leur libération. Les Britanniques filment ce qu'ils ont trouvé, et ce qu'ils font : pousser à l'aide de bulldozers les corps dans de grandes fosses. Chacun connaît ces images, montrées notamment dans *Nuit et Brouillard* d'Alain Resnais.

Marceline et certaines de ses compagnes – Anne-Lise Stern ou Ginette Kolinka... – n'y sont plus quand arrivent les Britanniques. Bergen-Belsen a aussi joué le rôle d'un camp de transit vers des petits Kommandos qui travaillent pour l'industrie de guerre allemande. Car les nazis se battent jusqu'au bout, dans l'illusion qu'ils peuvent encore remporter la victoire. En février 1945, Marceline est

transférée à Raguhn, un commando dépen-
dant du camp de Buchenwald non loin de
Leipzig. Quelques centaines de femmes y travaillent dans une usine fournissant des pièces
pour les avions.

Le 10 avril 1945, devant l'avance alliée, les
détenus de Raguhn sont évacués vers l'Est, à
Teresienstadt, nom allemand donné à la for-
teresse de Terezin.

Dans les bâtiments de cette ville de garni-
son fortifiée d'où les habitants ont été expul-
sés, Adolf Eichmann a créé un ghetto, ou un
camp-ghetto – les dénominations comme pour
Bergen-Belsen sont erratiques pour ce lieu si
particulier –, pour y interner certaines catégories de juifs du « Grand Reich » (Allemagne,
Autriche, protectorat de Bohême-Moravie) :
anciens combattants, hauts fonctionnaires,
grands intellectuels, personnes âgées de plus
de 65 ans... Géré par un Conseil des anciens
composé des dirigeants des communautés
juives de Berlin, Vienne ou Prague, qui joue
le rôle d'une municipalité, s'est développée
à Terezin, malgré la misère des détenus, une
riche vie culturelle et artistique. Les nazis
usèrent aussi de Terezin comme d'un leurre.
Ils aménagèrent le camp pour la visite que le
Comité international de la Croix-Rouge, sous
la conduite de Maurice Rossel son délégué, y

fit le 23 juin 1944. Ceux qui étaient internés à
Terezin n'étaient pas tous destinés à y rester.
À partir de janvier 1942, Terezin fut utilisé
comme camp de transit vers des lieux d'assassinat de masse : la forêt de Rumbula, près de
Riga, Treblinka, Majdanek, Auschwitz-Birkenau, ou vers des ghettos comme ceux de
Minsk et de Varsovie. Sur les 140 000 juifs qui
y passèrent un temps variable, 90 000 furent
déportés plus à l'est, vers la mort ; 33 000
moururent dans le camp-ghetto de maladie
ou de faim. Une trentaine de milliers survé-
curent.

À partir d'avril 1945, Terezin, désormais
le plus oriental des camps, devient le récep-
tacle des convois venus de divers lieux de la
nébuleuse concentrationnaire. C'est ainsi que
Marceline et certaines de ses compagnes y
sont transférées. Ces hommes et ces femmes
ont apporté avec eux typhus et dysenterie. Le
poète Robert Desnos en meurt. C'est le même
spectacle de désolation que celui que les cor-
respondants de guerre ont décrit, photogra-
phié, filmé dans les autres camps au moment
de leur ouverture par les Alliés. Le camp est
remis aux Soviétiques le 9 mai 1945, alors que
l'Europe fête la fin de la guerre. Ceux qui ont
survécu à la sélection à l'entrée des camps
d'Auschwitz, aux conditions effroyables qui
y régnaient, aux transferts dans divers camps,

au chaos des derniers jours du Reich avec son lot d'épidémies sont rapatriés.

Retour et mémoire

Pour l'immense majorité des rares survivants des juifs qui ont été déportés de France, le retour fut difficile, sinon amer. Ils avaient perdu une partie des leurs. Leur situation matérielle, après les années de persécutions et de spoliations, était d'une immense précarité dans une France économiquement saignée. Nul ne souhaitait écouter le récit de ce qu'ils avaient vécu. Ils avaient même parfois le sentiment que leur survie dérangeait. Il n'y avait guère de place dans la conscience contemporaine pour ce qui n'avait alors pas de nom, sinon en yiddish : la destruction des juifs d'Europe. Le professeur de droit international à l'université Yale, Raphaël Lemkin, a inventé en 1944 le mot génocide pour désigner la destruction systématique d'un groupe ethnique, mais il n'est pas encore passé dans le langage courant. Dans leur majorité, les déportés juifs survivants avaient été libérés dans les camps de l'ouest, mêlés aux autres catégories de déportés de France, notamment ceux de la Résistance. Et ce sont ces derniers qui furent fêtés. L'heure était aux héros.

L'image qui triomphait est celle du déporté résistant. Buchenwald recouvrait Auschwitz.

Dans cette première période, celle qui suit immédiatement la Shoah, les survivants n'émergent dans aucun groupe, dans aucune fraction du corps social – fussent les communautés juives –, ni aux États-Unis, ni en Israël, ni en France. Dans le cas de la France, les mesures antisémites, qui selon l'opinion de l'époque sont le fait du seul occupant, sont perçues comme une parenthèse, effacée par le retour de la République qui a rétabli chacun dans la plénitude de ses droits. Les rares efforts pour faire émerger le souvenir dans l'espace public restent vains. Dans ce domaine, Paris est l'exception. En avril 1943, Isaac Schneersohn avait fondé à Grenoble occupée par les Italiens le Centre de documentation juive, devenu dans l'après-guerre le seul centre de recherche dans le monde consacré au génocide, avec l'institut historique juif de Varsovie qui abrite les archives rassemblées dans le ghetto de Varsovie par l'organisation de résistance de l'historien Ringelblum. Constatant que les publications de son centre étaient très peu lues et que la mémoire est mieux servie par le rite que par la chronique, il décide d'ériger à Paris un Tombeau du martyr inconnu, sur le modèle du celui du soldat inconnu. Ce tombeau, inauguré en 1957, devait être le lieu central de la mémoire du génocide. Il suscita bien des polémiques et incitera la Knesset à voter la loi créant le Yad Vashem, avant son inauguration en 1956. Longtemps, il resta, avec Yad Vashem, le seul mémorial de par le monde. En 2005, ce « tombeau » agrandi, contenant désormais un mur où sont inscrits les noms de tous ceux qui ont été déportés de France, est devenu le Mémorial de la Shoah.

Ainsi la mémoire individuelle, inscrite dans celle d'un groupe clos, se construit dès l'événement. Mais cette mémoire n'est pas dans l'air du temps et ne présente guère d'usage politique. Pour que le souvenir du génocide pénètre le champ social, il faut que la configuration politique change, que le témoignage notamment, un des vecteurs essentiels de la mémoire, se charge d'un sens qui dépasse l'expérience individuelle, qu'il soit porté par la société. C'est chose faite avec le procès Eichmann qui marque un véritable tournant en France, en Allemagne, aux États-Unis comme en Israël.

Adolf Eichmann, ordonnateur de la Solution finale, ayant fui l'Europe grâce à une filière vaticane, caché sous une fausse identité en Argentine, avait été enlevé par les services secrets israéliens en mai 1960, jugé à Jérusalem à partir du 11 avril 1961. Avec ce procès, la mémoire du génocide devient constitutive d'une certaine identité juive, tout en revendiquant fortement sa présence dans l'espace public. Ce procès est puissamment novateur. Toutes les «premières fois» s'y rassemblent. Pour la première fois, un procès se fixe comme objectif explicite de donner une leçon d'histoire. Pour la première fois apparaît le thème de la pédagogie et de la transmission, présent aujourd'hui dans de nombreux pays et se déclinant sous plusieurs formes : créations de musées mémoriaux destinés aux jeunes, constitution d'archives filmées destinées tout à la fois à conserver la mémoire et à servir d'outils pédagogiques.

Le procès Eichmann marque aussi l'avènement du témoin. En effet, à la différence du procès de Nuremberg où l'accusation s'était fondée principalement sur des documents, le procureur israélien, Gidéon Hausner, décide de construire la scénographie du procès sur la déposition des témoins. Pour Hausner, «le seul moyen de faire toucher du doigt la vérité était d'appeler les survivants à la barre en aussi grand nombre que le cadre du procès le permettait et de demander à chacun un menu fragment de ce qu'il avait vu et de ce qu'il avait vécu. Le récit d'un certain enchaînement de circonstances fait par un

seul témoin est suffisamment tangible pour
être visualisé. Mises bout à bout, les déposi-
tions successives de gens dissemblables, ayant
vécu des expériences différentes, donneraient
une image suffisamment éloquente pour être
enregistrée. Ainsi espérais-je donner au fan-
tôme du passé une dimension de plus, celle
du réel». L'essence du procès Eichmann est
la litanie des cent onze témoignages. Ce procès libère la parole des témoins et crée une
demande sociale, comme le feront en France
d'autres procès ultérieurs, ceux de Klaus
Barbie (1978), Paul Touvier (1994) et Maurice Papon (1998). Le survivant des camps et
des ghettos acquiert son identité de survivant
parce que la société la lui reconnaît.

Dans la foulée du procès, de nombreuses
procédures sont entreprises en Allemagne.
Le procès de Francfort, notamment, juge
en 1963-1965 des nazis ayant travaillé à
Auschwitz. La fiction allemande *Le Laby-*
rinthe du silence (2014) montre bien les dif-
ficultés de faire juger des nazis allemands par
des Allemands. En 1964, le crime contre l'humanité, dans sa définition de Nuremberg, est
déclaré imprescriptible.

Dès lors, selon des modalités diverses,
la présence du génocide des juifs s'installe,
notamment en Allemagne, en France ou aux
États-Unis. En 1973, pour la première fois,

les grandes organisations juives américaines inscrivent dans leurs programmes la nécessité de garder la mémoire de l'Holocauste, comme on dit aux États-Unis. En France, on récuse le terme d'holocauste car il signifie que la victime est entièrement consumée par le feu en sacrifice à un dieu ou à Dieu. Les publications, les programmes d'études dans les universités se multiplient. Alors qu'il n'existait en 1962 qu'un seul cours sur l'Holocauste à l'université Brandeis, ces enseignements commencent à se multiplier. En 1995, plus de cent institutions se consacrent à son étude.

En 1978 est projeté à la télévision américaine un feuilleton en quatre épisodes, *Holocauste*, qui suscite une émotion considérable. Il croise le destin de deux familles allemandes, l'une gagnée au nazisme, l'autre juive, la famille Weiss dont le feuilleton peint l'effondrement de tout le système de valeurs. Les parents ne trouvent d'autre issue que dans le suicide. La fille, devenue folle à la suite d'un viol, est assassinée lors de l'opération d'euthanasie qui a consisté en Allemagne nazie à gazer dans des centre spécialisés quelque 70 000 malades mentaux et handicapés (entre 1939 et 1941). Seul le fils, Rudi, survivait en allant se battre chez les partisans, puis partait pour la Palestine. Les critiques furent identiques en France, aux États-Unis, en Allemagne. Il fut accusé d'être «hollywoodien», «romancé»; de ne pas rendre sensibles l'angoisse, la faim, la souffrance, la mort de masse. Il fut pourtant un prodigieux succès : 120 millions de téléspectateurs aux États-Unis, une émotion considérable en Allemagne. Antenne 2 le programma en février 1979, avec, faisant suite au dernier épisode, un débat dans le cadre de l'émission «Les dossiers de l'écran» sur le thème : «Vie et mort dans les camps nazis». L'émotion fut grande, assortie de polémiques multiformes qui durèrent des mois.

Un mois après la diffusion aux États-Unis du feuilleton *Holocauste*, le président Carter annonce la création d'une commission présidentielle de l'Holocauste dont il offre la présidence à Elie Wiesel, incarnation aux États-Unis de la figure du survivant. Le 7 octobre 1980, une loi institue un Conseil du Mémorial de l'Holocauste qui devra œuvrer au projet de création d'un mémorial national. Dès lors, la mémoire du génocide, déjà à l'ordre du jour des organisations juives, devient aussi un thème politique.

La même évolution s'observe en France. Pourtant, c'est moins la Shoah elle-même qui est l'objet d'interventions publiques que les responsabilités propres de Vichy dans la déportation des juifs de France. L'insistance sur les responsabilités de Vichy vient d'abord des générations d'enfants nés pendant ou après la guerre. Émerge alors une mémoire de combat, dénonciatrice, qui se manifeste avec force dans les «affaires» qui se succèdent à partir de 1978, quand *L'Express* publie une interview de l'ancien commissaire aux Questions juive de Vichy, Darquier de Pellepoix, qui a trouvé refuge en Espagne et selon lequel à Auschwitz, «on n'a gazé que des poux». La même année, *Le Monde* publie un article de Robert Faurisson. La négation des chambres à gaz d'Auschwitz est ainsi légitimée. Ce sont encore les premières inculpations pour crimes contre l'humanité. Dans tous ces combats, Beate et Serge Klarsfeld jouent un rôle décisif, soutenus par l'association qu'ils ont créée en 1979, les Fils et Filles de déportés juifs de France.

La commémoration de la grande rafle des 16 et 17 juillet, dite du Vélodrome d'Hiver, toujours célébrée depuis 1945, devient le lieu principal de la polémique. Sous la pression d'une partie de l'opinion publique, réclamant un geste du chef de l'État, François Mitterrand est présent pour la première fois lors de la cérémonie du 16 juillet 1992. Le 3 février 1993, il consent à faire un geste en instituant par décret le 16 juillet comme journée nationale de commémoration des « persécutions racistes et antisémites commises sous l'autorité de fait dite de gouvernement de l'État français (1940-1944) ». Pour la première fois dans l'histoire de la République, une journée nationale est instituée par décret présidentiel, et non par une loi discutée et votée par le Parlement. Le décret prévoit une commémoration le 16 juillet, s'il tombe un dimanche, ou le dimanche suivant, l'érection d'un monument à l'emplacement de l'ancien Vélodrome d'Hiver (inauguré le 16 juillet 1994) ainsi que deux stèles, l'une sur les lieux de l'internement en France, l'autre à la maison d'Izieu, dont le Musée mémorial, largement financé par l'État, était inauguré le 24 avril 1994. C'est un cas unique en France d'une intervention directe de l'État dans la mise en place de monuments et de stèles.

C'est surtout le discours du chef de l'État Jacques Chirac dès son élection en 1995 qui apure, dans l'ordre du symbolique, les comptes entre les juifs et la France. Un beau discours, qui puise aux meilleures sources historiques. Une forte condamnation morale d'abord : « Ces heures noires souillent à jamais notre histoire et sont une injure à notre passé et à nos traditions. » Et il continue : « Oui, la folie des occupants fut secondée par des Français, par l'État français. » Le « oui » qui ouvre la phrase montre que le discours prend parti dans le débat, qu'il répond à une question controversée, celle de la responsabilité de l'État que Jacques Chirac ne pose pas dans son texte. Le chef de l'État décrit ensuite ce que fut la rafle : 4 500 policiers et gendarmes «sous l'autorité de leurs chefs, répondant aux exigences nazies», arrêtant au petit matin enfants, femmes, hommes. «La France, patrie des lumières et des droits de l'homme, terre d'accueil et d'asile, la France, ce jour-là, accomplissait l'irréparable». À l'égard des 76 000 juifs de France qui ne sont pas rentrés, «nous conservons [...] une dette imprescriptible».

Serge Klarsfeld prit Jacques Chirac au mot. De l'argent pris aux internés de Drancy ne leur avait pas été restitué à eux ou à leurs familles, et dormait à la Caisse des dépôts et consignations. «Les enfants de survivants de ces 76 000 déportés attendent que la France répare et leur règle enfin cette dette.» L'État mit en œuvre cette réparation en créant une Mission d'études sur la spoliation des biens des juifs de France, dite Mattéoli du nom de son président, en acceptant ses conclusions, en les mettant en actes avec une exceptionnelle célérité. L'argent résiduel de la spoliation a été versé par la Caisse des dépôts et consignations et l'État à une fondation, la

Fondation pour la mémoire de la Shoah, dont Simone Veil fut la première présidente et qui finance notamment de nombreux projets de recherche, des films, des livres…

Pourtant, ce travail de restitution et d'indemnisation, comme la création d'institutions consacrées spécifiquement à la mémoire du génocide des juifs, ne peut se comprendre dans un cadre seulement hexagonal. Il s'inscrit dans un mouvement mondial, de la décennie encadrée par la « chute du mur », la fin de la guerre froide et d'un monde bipolaire et l'attentat contre les tours jumelles, le 11 septembre 2001. C'est l'illusion du triomphe de la démocratie et des droits de l'homme bafoués de façon inouïe par le nazisme. Enseigner ce que fut la Shoah, c'est stigmatiser le mal.

En 2005, la commémoration d'Auschwitz est internationalement institutionnalisée : le jour de l'entrée de troupes soviétiques dans les camps, le 27 janvier est décrété par l'ONU journée de commémoration de victimes de l'Holocauste. On mesure le chemin dans la connaissance et la conscience collective accompli depuis la fin de Seconde Guerre mondiale. En 2015, alors que les derniers survivants de la Shoah disparaissent, cette dernière est désormais inscrite dans l'histoire.

Pourtant, au moment où était célébré le soixantième anniversaire de la libération des

camps d'Auschwitz, et encore davantage lors
de la célébration du soixante-dixième anniversaire, la mémoire du génocide des juifs
apparaît sous un jour paradoxal. Les institutions qui en ont la charge, du Mémorial de
l'Holocauste à Washington à la Fondation
pour la mémoire de la Shoah à Paris, n'ont
jamais été si nombreuses. Les mémoriaux
ont fleuri par centaines de par le monde. Les
récits des derniers survivants continuent à être
recueillis ou publiés. Les programmes d'en-
seignement dans la plupart des pays intègrent
le génocide des juifs. Des chercheurs, grâce
à l'ouverture des archives à l'Est, complètent
un ensemble de travaux déjà abondants.
La Shoah est aussi entrée dans notre imaginaire collectif et nombreuses sont les fic-
tions littéraires ou cinématographiques qui
la prennent pour thème, pour toile de fond
ou qui l'évoquent. Dans le même temps, l'uti-
lité même de cette mémoire est contestée de
plus en plus bruyamment. Les comparaisons
constantes brouillent, minorent, banalisent
ce que fut la destruction des juifs d'Europe.
Dans certains établissements scolaires, selon
des témoignages récents, on ne peut plus
l'enseigner. Ainsi serions-nous entrés dans un
nouveau cycle, dans une quatrième phase de
l'histoire de cette mémoire caractérisée tout à
la fois par son institutionnalisation et par sa

mise en cause. Ce passé dont on disait qu'il ne voulait pas passer est peut-être en train de passer, avec la mise en cause de l'existence même de l'État d'Israël et la montée d'un nouvel antisémitisme. Car la mémoire, bien qu'elle se réfère au passé, se vit toujours au présent.

De Marceline Loridan-Ivens

BIBLIOGRAPHIE

17ᵉ *Parallèle : la guerre du peuple. Deux mois sous la terre*, avec Joris Ivens, Les Éditeurs français réunis

Ma vie balagan, Robert Laffont

FILMOGRAPHIE

La Petite Prairie aux bouleaux

Avec Joris Ivens

Une histoire de vent
L'Usine des générateurs : Shanghai
Une femme, une famille : Pékin
Une caserne : Nankin
Une répétition à l'Opéra de Pékin
Le Village de pêcheurs : Shantoung
Les Ouïgours – minorité nationale : Sinkiang
Les Kazaks – minorité nationale : Sinkiang
Les Artisans
Le Professeur Tsien : Pékin
La Pharmacie : Shanghai
Impression d'une ville : Shanghai

Entraînement au cirque de Pékin
Autour du pétrole : Taking
Une histoire de ballon
Le Peuple et ses fusils
Rencontre avec le président Hô Chi Minh
17e Parallèle

Avec Jean-Pierre Sergent

Algérie, année zéro

Le Livre de Poche s'engage pour
l'environnement en réduisant
l'empreinte carbone de ses livres.
Celle de cet exemplaire est de :
200 g éq. CO_2
Rendez-vous sur
www.livredepoche-durable.fr

**PAPIER À BASE DE
FIBRES CERTIFIÉES**

Composition réalisée par Lumina Datamatics

Achevé d'imprimer en juillet 2018 à Barcelone par
BLACK PRINT
Dépôt légal 1ʳᵉ publication : août 2016
Édition 05 - juillet 2018
LIBRAIRIE GÉNÉRALE FRANÇAISE – 21, rue du Montparnasse – 75298 Paris Cedex 06